148

431. Cerro C2-40 C
          (C.U)

LE COMMISSARIAT
AUX ARCHIVES

ALAIN JAUBERT

LE COMMISSARIAT AUX ARCHIVES

barrault

Directrice littéraire
Betty Mialet
Conception graphique
Hans Reychman

Si vous souhaitez être tenu au courant de la publication de nos ouvrages,
il vous suffit d'en faire la demande aux Éditions Bernard Barrault,
79, avenue Denfert-Rochereau, 75014 Paris.

© Éditions Bernard Barrault
ISBN - 2-7360-0047-1
Printed in France

« Et cette galerie, avec ses cinquante employés environ, n'était qu'une seule section, un seul élément, en somme, de l'infinie complexité du Commissariat aux Archives. Plus loin, au-dessus, il y avait d'autres essaims de travailleurs engagés dans une multitude inimaginable d'activités.

Il y avait les immenses ateliers d'impression, avec leurs sous-éditeurs, leurs experts typographes, leurs studios soigneusement équipés pour le truquage des photographies. Il y avait la section des programmes de télévision, avec ses ingénieurs, ses producteurs, ses équipes d'acteurs spécialement choisis pour leur habileté à imiter les voix. Il y avait les armées d'archivistes dont le travail consistait simplement à dresser les listes des livres et des périodiques qu'il fallait retirer de la circulation. Il y avait les vastes archives où étaient classés les documents corrigés et les fournaises cachées où les copies originales étaient détruites. Et quelque part, absolument anonymes, il y avait les cerveaux directeurs qui coordonnaient tous les efforts et établissaient la ligne politique qui exigeait que tel fragment du passé fût préservé, tel autre falsifié, tel autre encore anéanti. »

George ORWELL, 1984.

Écrit de la main de Mussolini sur une photographie : « Ce n'est pas un trucage photographique ! ». Extrait de Storia fotografica del fascismo, de Renzo De Felice et Luigi Gola, Editori Laterza, 1981.

De l'axe Auschwitz-Kolyma, on a tout dit, ou presque, si c'était possible. La dictature, le culte du chef, l'extermination scientifique des ennemis, les camps de concentration, la toute-puissance des services secrets, la police politique, la propagande obsessionnelle, la terreur. Puis la désinformation, la récriture de l'histoire, les effets de la censure, la mutilation de la mémoire ont, sur le tard, intéressé les historiens. Le rôle des images dans les mécanismes de la tyrannie n'a été que timidement abordé.

Il y a dans la plage lisse, unie, brillante de la photographie, dans son cadre rectangulaire, strict, sans extérieur, sans recours, quelque chose d'étrangement inquiétant, d'infiniment tragique peut-être. Une image, – peu importe pour l'instant ce qu'elle veut représenter –, vous est donnée à voir. Elle est là, définitive, froide, impérative. Comment pourrait-on en douter, alors que depuis cent cinquante ans, on nous répète qu'il s'agit d'une « machine à reproduire le réel ». Nous voyons chaque jour des centaines d'images photographiques et nous n'en doutons pas plus que des nuages. Et pourtant, c'est la même évanescence, la même ambiguïté intrinsèque, le même doute installé au cœur de l'image plane : le volume réduit à la surface, le chevauchement perspectif des volumes, les couleurs ramenées à des gammes de gris (ou, au contraire, transcrites dans d'autres systèmes chromatiques). Trucage fondamental…

Les premiers photographes, des peintres ratés, ont vite compris le parti pris qu'ils pouvaient tirer des malformations congénitales de l'invention. Essayant de réparer les défauts des clichés – grains de poussière, écailles de gélatine, plaques de verre brisées – ils découvrirent que le pinceau et la gouache faisaient merveille. De fil en aiguille l'artiste habile vous arrangeait un visage, effaçant rides et boutons puis, à la demande, chassait du portrait de famille l'oncle scandaleux ou le bâtard usurpateur. Les photographes passèrent à d'autres jeux. L'entrée anticipée de Garibaldi dans Rome, les otages de la Commune fusillés « sous les yeux des photographes », les « complicités » de l'affaire Dreyfus, le Kaiser s'apprêtant à envahir la France, la fin de Roger Casement, les fausses victoires de la Première Guerre mondiale ont donné lieu à des montages célèbres. Pour choquants ou amusants qu'ils soient, ces trucages, ne correspondent qu'aux balbutiements de la propagande moderne. Ils n'étaient que l'émanation de groupes ou de pouvoirs incertains, tempérés par l'expression ou la critique d'adversaires politiques plus ou moins libres de s'exprimer selon l'état de la démocratie.

Avec ce lampadaire phallique qui pend du ventre de Lénine et que la gouache pieuse du retoucheur renvoie au néant, avec cette fausse image de la prise du Palais d'Hiver qu'on diffuse comme authentique dès la fin de 1920, on entre dans un tout autre univers. Les images ne circulent plus, diffusées par des photographes libres ou des agences multiples, elles viennent d'un seul centre. Elles sont l'émanation même du pouvoir totalitaire qui les confisque toutes à son profit, les archive, les classe et les diffuse comme représentant *sa* vérité. Pas d'analyse, de critique, de doute possible puisque c'est le même organisme qui, à la fois, contrôle la circulation des images et relit, réécrit, censure, autorise (ou interdit) tous les journaux. L'administration porte en Union soviétique le doux nom de *Glavlit,* diminutif de « Glavnoë upravlenie po delam literatury i izdatelstvo » (administration centrale pour les affaires littéraires et l'édition). Perfectionné au cours des années trente (on s'inspire directement des méthodes proprement stupéfiantes du ministère de la propagande et de l'information de Joseph Goebbels), le système a essaimé dans chaque pays satellite. Et le modèle, qui a aussi inspiré la Chine et l'Albanie, a été exporté tel quel à Cuba.

Retoucher

Il existe une première catégorie de retouche très simple qu'on pourrait appeler protocolaire. On veille en permanence à effacer les faux pas, les petits ridicules involontaires, qui accompagnent inévitablement la vie publique des grands personnages, ou encore les quiproquos, les trompe-l'œil dus aux hasards du geste, de la scène figée par l'instantané. La photo d'actualité ne se laisse jamais enfermer dans l'orbe calme d'un univers bien rangé. Il y a toujours de l'étrange, de l'étranger, de l'hétérogène, dans le cadre. De vieux oripeaux qui traînent, quelqu'un qui n'est pas à la place attendue, un objet qui – la perspective aidant – vient s'accoler à un autre, la petite distorsion qui échappe à l'ordre de l'art, qui fait basculer toute la composition dans la trivialité du quotidien. On fera flotter le personnage dans un univers neutre, assez vide, où rien de sale, rien d'ambigu ne viendra troubler la majesté du despote.

De la même façon, toute la génération de ceux qui sont nés au début du siècle et qui se partagent le pouvoir à Moscou comme à Pékin, voient chaque année diffuser leurs portraits officiels aux visages lisses, aux silhouettes décidées, débordantes de la fausse santé d'une maturité depuis longtemps révolue. Ces photographies, d'une qualité convenable selon les critères soviétiques, ont pour nous, un air bizarre. Le point, n'y est jamais repérable, ni sur les yeux, ni sur la peau des joues, ni sur le nez, ni sur la trame textile du costume. Certes, les traits du visage sont précis, et chaque portrait possède sa propre personnalité, est immédiatement reconnaissable, attribuable. Mais tous ces détails identificateurs sont noyés dans une brume légère qui, comme dans un rêve, brouille la perception. Les ombres sont à peine marquées. La peau n'a jamais de grain, elle est toujours uniformément satinée. Retour délibéré au « flou artistique », au « glamour » des portraits hollywoodiens de 1930, l'antithèse du brutal piqué néo-réaliste des années d'après-guerre. La photographie officielle génère un spectateur astigmate. Les bustes flottent sur un fond uniforme, sans référent, une sorte de vide gris perle, crépusculaire, une couleur entre le jour et la nuit. L'invention du docteur Bogomoletz n'a vécu qu'un temps : la vérité de la jeunesse, ce ne sont ni les « biostimulines » de la Faculté de Kiev ni les bains de soude d'Olga Lepechinskaïa, ni tous ces mystérieux éléments de régénération cellulaire découvertes sous le regard attendri du bon Staline et qui nous font changer de peau à volonté, mais seulement le pinceau et la gouache du retoucheur. Pour devenir icône, le portrait doit passer derrière ce léger voile du rêve, s'élever dans le ciel gris, neutre, vertigineux de l'éternelle jouvence.

Détourer

La retouche protocolaire nécessitait parfois qu'un ou deux personnages soient détachés, décollés du décor réel et de ses trivialités. Quelques coups de pinceau discrets nettoyaient alors les entours du héros. Mais le détourage peut aussi prendre de l'ampleur, effaçant une large zone autour de la silhouette, la faisant flotter dans un espace nouveau, magique. Il permet d'effacer tout ou partie du décor et des personnages secondaires, donc d'établir aussi des relations privilégiées entre un personnage et un autre. Il n'a plus seulement cette fonction d'effaçage protocolaire, parfois vaudevillesque (épouses laides à cacher, maîtresses à dissimuler ou au contraire à mettre en valeur, telle Clara Petacci auprès de Mussolini). Il a en général un rôle beaucoup plus solennel. Il est directement lié à la face sacrée du pouvoir. Le tyran est intouchable, inapprochable. Il ne peut être souillé par la proximité d'objets ordinaires ou de personnages secondaires. Le détourage, ce sera ce glacis qui renforce l'isolement religieux du héros, le halo de vide autour de l'unique, l'auréole de lumière autour du corps sacré.

Découper

Il faut parfois rapprocher deux personnages lointains ou appartenant à deux photographies différentes, ou encore placer côte à côte, dans le même cadre, un grand nombre de personnages afin de composer une scène historique. Comme dans les petits jeux d'enfants pauvres, il va s'agir de découper une figurine de papier, de lui faire quitter son socle et de la placer dans un nouveau décor. Le résultat peut être identique à celui d'un simple détourage et, pourtant, la démarche est fondamentalement différente. Dans le détourage, on ne changeait rien au rapport entre le personnage et son support, même lorsque les surfaces libres de ce support disparaissaient presque complètement sous les repeints. Avec le découpage, on offre à notre personnage une totale autonomie. On doit considérer le produit final comme l'assemblage d'au moins deux photographies, souvent même de plusieurs. On entre là dans l'univers, ouvert à l'infini, du photomontage : on connaît la fortune du genre et l'usage qui s'en est fait dans la propagande politique.

De la photographie truquée qu'on veut faire passer pour authentique au photomontage fabriqué dans le but de véhiculer un message politique, il n'y a pas de commune mesure. Le photomontage est, la plupart du temps, déchiffrable en tant que tel. Les proportions, les raccords, les ombres, les variations de grain ou de trame, les mélanges de genres (photographie, dessin, peinture, caricature,...), la réunion d'objets ou de personnages hétérogènes ou anachroniques, l'invraisemblance des situations, tout signe le photomontage. Toute autre est la fonction de la photographie montée afin de créer une scène fausse mais vraisemblable. Les bords des découpes ne doivent pas être apparents, les proportions et les perspectives doivent être correctement ajustées, l'orientation de la lumière, les ombres, les blancs et les noirs des diverses parties doivent être équivalents, les gestes et les regards doivent coïncider. La cohérence de la scène est souvent difficile à obtenir sans un considérable travail de collage, d'ajustage et de retouches. Ce n'est plus le travail « artistique » qui importe comme dans le photomontage où l'on cherche à étonner, à stupéfier même par la juxtaposition d'éléments étrangers (étranges), dont l'ensemble crée un sens nouveau, un surcroît de vérité à partir de vérités hétérogènes. Mais un patient travail « artisanal » et anonyme : on ne cherche plus à frapper de stupeur, mais au contraire à n'étonner en rien, à camoufler, à rendre l'univers plus cohérent encore, plus banal, à effacer les différences. La photographie truquée n'est pas faite pour être vraiment regardée : si on la regarde de trop près, le fragile édifice du mensonge s'effondre. Elle est faite pour être vue, au passage, parmi d'autres photographies ordinaires.

Recadrer

Cadrer est la façon la plus simple d'éliminer. Après tout, on n'est jamais obligé de publier toute une photographie. Et le geste du photographe, de tous les gestes artistiques, est le plus arbitraire. On découpe une fenêtre dans le réel. Certains personnages se retrouvent dans le cadre, d'autres non. Il y a déjà là comme une censure, qui pourrait nous paraître insupportable. Censure du réel qui n'est jamais donné dans sa totalité. Censure apposée sur la subjectivité impérialiste du photographe. Mais c'est la loi de la photographie. Chacun s'y soumet, de plus ou moins bonne grâce. Sauf à inventer dispositifs, découpes, montages qui démultiplient, dans le temps, dans l'espace, l'acte photographique. Interviennent ensuite les hasards ou les contraintes du tirage, de la mise en page, de la reproduction, des publications. La photographie y perd presque toujours. En revanche, elle ne regagne jamais rien. On peut imaginer que chaque photographie publiée, republiée, découpée, redécoupée, analysée dans la presse, dans les livres, dans les archives existe avec ses couches successives de hors cadre, comme des pelures d'oignon. Peut-être des millions de photographies sont-elles – même sans comporter la moindre retouche – déjà, en elles-mêmes, des photographies truquées, parce que le cadre qui s'est imposé au photographe, cache plus encore qu'il ne dévoile. Et, somme toute, le travail du pire retoucheur restera modeste si on le compare à cette universelle supercherie qu'est, depuis ses origines, la photographie.

L'image est connue. Elle figure dans tous les livres sur la révolution russe et dans bien des ouvrages, elle symbolise à elle seule la vie et l'action de Lénine. L'orateur est debout sur une estrade de planches. Il a le corps en déséquilibre, penché vers la droite, le visage crispé, la bouche ouverte. Il harangue une foule. De sa main gauche, il s'accroche au rebord de la tribune. De sa droite, il tient sa casquette contre ce même rebord.
La photographie originale, sans doute largement diffusée à l'époque, a survécu. Son cadre est horizontal. On y voit l'étroit escalier qui borde la partie droite de la tribune. Sur les marches, en contrebas, il y a Kamenev et Trotsky qui attendent leur tour de parole. Depuis 1930, aucun Russe n'a vu cette photographie intégralement. Lénine orateur ou le visage du Che guérillero sont les produits de ces recadrages éliminateurs suivis d'agrandissements formidables. De l'image réaliste au mythe…

Effacer

Le recadrage intéresse les bords, les marges. Parfois, il ne suffit pas à éliminer totalement un personnage. Il est par exemple nécessaire d'éliminer un acteur central tout en conservant la scène historique dans sa totalité. Il faut alors couper, pratiquer une fente dans le décor, une sorte d'ombilic dans lequel va s'invaginer une partie de la photographie, faisant disparaître l'intrus dans l'oubliette ainsi creusée. Il suffira ensuite de suturer les deux bords. C'est ce qui se produit en 1968 avec cette photographie qui voit Alexandre Dubcek effacé par le rapprochement d'une maison et du porche de l'église Saint-Vit à Prague, sa disparition ne provoquant que de très légers remous dans les perspectives de l'image.

Mais ces simples figures topologiques que sont la coupure, la fente, le pli, l'ombilic, ne sont pas toujours si facilement praticables. Pour effacer quelqu'un, pour le rendre invisible, il faut faire monter à sa place le fond ou bien tel autre personnage. Les gouaches noires et blanches doivent imiter teintes, textures et formes recouvrir peu à peu les personnages éliminés, participer à l'équilibre général de la nouvelle scénographie. Dans une autre version de l'estrade léniniste, Trotsky se fond dans l'escalier de planches. Ailleurs, Po Ku se dissout dans un fenestrage chinois.

L'élimination de Trotsky, modèle universel, a inspiré les retoucheurs tchèques, hongrois, yougoslaves, cubains. Les fantômes désormais se dissolvent dans les murs, dans les portes, les drapeaux, les palissades, les miroirs, les tapis, les tapisseries. La retouche est devenue une esthétique de l'évanescence. Sublimes coups de pinceaux qui renvoient les rivaux, les arrogants, les ambitieux à la poussière éternelle de décors à jamais figés.

Les chefs-d'œuvre de l'art en fin de compte, seront ceux qui parviendront à cumuler toutes les techniques. Au cours des saisons, des années, les images sont reprises, corrigées, retravaillées. Au point que, dans plusieurs cas, on ne sait même plus qui exactement a été effacé, ni pourquoi. Les générations passent, les visages, les noms, sont oubliés, les images truquées survivent à celui qui les a fabriquées. Le pouvoir absolu sur les corps qui est la marque même de la tyrannie, a donc son reflet exact dans le monde des images. Éliminer, liquider, faire disparaître le corps physique et le nom des rivaux ou des adversaires, toutes ces opérations se traduisent par le découpage, l'ablation, le recadrage, le gouachage, l'effaçage des figures de papier.

Pouvoir arrogant qui ne cherche d'ailleurs pas toujours à dissimuler ses falsifications. Il y a en effet des photographies parfaitement bien truquées. Mais parfois, c'est l'acte même de l'élimination qu'on nous donne à voir. Ainsi les Chinois effacent souvent pour mieux encore désigner une absence, détournant pour un usage de basse politique la noble tradition picturale du vide et du plein, du clair et de l'obscur. Wang Yu : « Il s'agit, pour obtenir un effet merveilleux, de jouer de l'encre de telle manière que là où s'arrête le pinceau, soudain, surgisse autre chose. » Par exemple, dans les séries de photographies publiées quelques jours après la mort de Mao et la dénonciation de la « bande des quatre », on ne cherche même pas à resserrer l'alignement des personnages officiels. La gouache chinoise, noyant les quatre silhouettes dans le fond, laisse leurs places vides, béantes, désignant irrésistiblement l'effacement. Le vide surgit dans l'alignement régulier du plein. Façon de légitimer le nouveau pouvoir, d'étaler sa vérité et son arrogance : « Voyez comme nous les avons liquidés ! Voyez comme nous sommes capables de vous liquider ! »

De même en Albanie, dans les musées, il y a des trous béants dans les photographies de groupe. Pour mieux montrer l'effacement des personnages, on a parfois laissé leurs pieds. Ou mieux encore, fait unique, on laisse les personnages mais on les masque d'encre de Chine, de mastic gris ou jaune, voire d'un griffonnage appuyé qui saute immédiatement aux yeux. A Cuba, les sœurs de Fidel Castro, « bourgeoises » très mollement castristes ou exilées, sont rageusement bannies de l'album de famille par leur Grand Frère.

Dans le cas de Dubcek, le caractère explosif du trucage tient essentiellement à ce que montre la moitié gauche de la photographie : une foule d'hommes et d'enfants armés de caméras et d'appareils photographiques. On devine que la scène, ce jour-là, a dû être enregistrée des dizaines, des centaines de fois. Et envers ces multiples preuves que détiennent peut-être encore les uns et les autres, cette nouvelle image qui est montrée par le pouvoir, ne cherche peut-être pas, aussi subtile soit-elle, à prétendre que Dubcek n'était pas là. Peut-être, au contraire, est-ce l'effacement même, le grincement sinistre des décors qui se referment sur le personnage, le vertige de la trappe, le froid glacial des coulisses, la terreur des prisons-abattoirs, qu'elle prétend montrer.

Et pourtant, qu'ils soient exécutés-effacés ou qu'ils survivent à l'effaçage, tous ces personnages politiques eux-mêmes, ne sont que les pâles figurants d'un opéra bien plus vaste que même Wagner ne pouvait imaginer. La falsification s'étend aux livres, aux journaux, aux films, aux paysages, aux monuments, aux scènes historiques, aux grand travaux mettant en jeu des millions d'esclaves sous couvert de forger l'homme nouveau. Et l'on sait désormais ce que recouvrait la toile de fond : bagnes, camps, tortures, massacres. Jamais les icônes n'avaient servi religion aussi dévoratrice, jamais les simulacres n'avaient été aussi mortels. Soljenitsyne rapporte qu'au moment où des centaines de fourgons cellulaires sillonnaient Moscou, charriant vers les prisons et les camps du Goulag leurs milliers de futurs « zeks », on avait eu l'idée sublime de les décorer de grandes inscriptions « Pain » ou « Viande » et même de publicités pour le champagne soviétique. Un Juif forcé par les nazis à exhumer et à brûler les 90 000 exécutés de Vilna, raconte à Claude Lanzman, dans *Shoah* : « Celui qui disait « mort » ou « victime » recevait des coups. Les Allemands nous imposaient de dire, concernant les corps, qu'il s'agissait de *Figuren*, c'est-à-dire de… marionnettes, de poupées, ou de *Schmattes*, c'est-à-dire de chiffons. » Pain, viande, champagne, poupées… les petits fonctionnaires des Glavlit planétaires n'ont pas fini de découper, de repeindre, de brûler leurs délicates petites *Figuren…*

Et Orwell, à propos ? Oui, Orwell avait raison. Pas tout à fait cependant. Il avait oublié la folie, le fétichisme et la débilité finalement rassurante du système. Les fournaises cachées brûlant les vrais numéros du *Times* ? Peut-être mais de toute façon qui croit encore aujourd'hui à ce que dit la *Pravda*, et, dans les musées, qui croit vraiment à ce qu'on lui montre, vraie ou fausse « fausse carte d'identité de Lénine », vrais ou faux numéros de la *Pravda* sans Trotsky ? Il a suffi d'une vague esquisse de démocratie printannière en Tchécoslovaquie pour que surgissent aussitôt les photos truquées de l'histoire tchèque *avec* leurs versions originales. Donc quelqu'un les avait gardées ! Donc on n'avait pas osé les détruire ! La terreur de l'évidence photographique avait triomphé de la terreur sur les corps. Mais les pendus, les gazés et les fusillés n'ont que faire de nos philosophies photographiques.

Staline ronflant tout botté sur un canapé de son isba, n'a à côté de lui qu'un petit meuble dans lequel il y a… les archives confisquées à Trotsky. Comme certains mangent la cervelle de leurs ennemis, il a cru s'approprier l'intelligence de son rival haï. Eh bien, il est fort probable que ces archives sont aujourd'hui dans les coffres de l'Institut du marxisme léninisme. Comme les photos de Trotsky. Comme les statistiques secrètes du Goulag. Et comme les archives saisies par l'armée rouge à… Auschwitz, oui. Ce qui fait rêver les historiens aujourd'hui, ce n'est plus la bibliothèque d'Alexandrie, ni celle du Vatican, mais bien la Grande bibliothèque de Moscou. Auschwitz, le Goulag, même rayon…

Et puis, à force de distribuer des versions successives des photographies les retoucheurs s'emmêlent les pinceaux, publient des livres où, d'un chapitre à l'autre, on retrouve des versions différentes. A Yenan, le nid de Mao après la Longue marche, le conservateur du musée s'inquiète. La cote de Mao est en baisse et son cheval blanc est grignoté par les mites malgré vitrine et naphtaline. Dans un pays où les monuments tiennent depuis mille ans et plus, son musée n'aura pas tenu trente ans. Le conservateur est triste. Il possède plusieurs jeux de photos et il ne sait plus lesquelles accrocher. Il a bien vu Liu Chao-chi au nez grêlé, le gros Peng Chen, et même ce farceur de Lin Piao réapparaître dans les revues de Pékin. Mais il n'a pas reçu de directives. Il hésite, le pauvre conservateur oublié aux marches de l'Empire. Il n'avait jamais imaginé que des petites poupées de papier pourraient être aussi remuantes.

La vie légendaire de Lénine

Jusqu'à la révolution d'octobre, peu de photographies de Lénine avaient paru dans la presse russe. Pendant la période révolutionnaire, les clichés publiés par les rares journaux illustrés montrent parfois Lénine, mais au milieu d'autres bolcheviks.

Vers 1920, les propagandistes du parti communiste commencent à utiliser l'image de Lénine : portraits géants étalés sur les façades lors des meetings, cartes postales ou images destinées à remplacer les icônes religieuses traditionnelles, dossiers photographiques dans la *Pravda* ou d'autres journaux. Même si Lénine s'en irrita plusieurs fois, il laissa cependant s'instaurer une sorte de « culte de la personnalité ».

Après sa mort en 1924, les images se multiplient. A partir de mars 1931, l'Institut du marxisme-léninisme recueille pieusement toutes les traces laissées par Lénine. On récrit l'histoire en présentant la prise brutale du pouvoir par un noyau de bolcheviks comme une révolution de masse et Lénine comme le seul grand dirigeant. Le culte atteint son apogée avec la publication du livre de Staline sur Lénine en 1931.

Puis Lénine est de plus en plus rarement évoqué et ses images disparaissent au profit de celles de Staline. En 1955, avec la déstalinisation, l'imagerie léniniste réapparaît, d'une ampleur sans précédent : sa fonction principale est d'effacer le règne de Staline. Plus de trente ans après la mort de Staline, le culte de Lénine est toujours aussi vif et les photographies anciennes y jouent un rôle prépondérant.

Elles ont subi, au cours des générations, diverses modifications liées à la ligne politique. Ainsi, l'exil puis l'assassinat de Trotsky, les vagues de procès de Moscou suivis de l'extermination de tous les anciens bolcheviks, le culte de Staline puis la déstalinisation, s'accompagnent de disparitions photographiques, de montages, parfois de réapparitions. L'effacement n'est total que pour Trotsky car, pour les autres, il n'est pas rare que coexistent dans les mêmes ouvrages ou dans des éditions successives, des photographies retouchées à des époques différentes.

■ PARTIE D'ÉCHECS À CAPRI

Avril 1908. Sur la terrasse d'une villa à Capri, Lénine et Alexandre Bogdanov jouent aux échecs devant leur hôte, l'écrivain Maxime Gorki (assis sur la balustrade). Autour d'eux A. Ignatiev (assis, coupé par la photographie), I. Ladyjnikov (assis derrière Lénine), V. Bazarov (debout derrière Lénine), Z. Pechkov (à côté de Gorki) et V. Bogdanova. La villa où Gorki vécut sept ans, après avoir quitté la Russie au lendemain de la révolution de 1905, avait été mise par lui à la disposition des milieux de l'émigration social-démocrate russe afin d'en faire une école pour révolutionnaires

propagandistes. Lénine lui-même participa à la création de cette école où il vint deux fois, en 1907 et 1908. Mais, Bogdanov et Gorki y faisant régner une atmosphère trop « spiritualiste » à son goût, il refusa d'y faire des cours et fonda sa propre école dans la région parisienne, à Longjumeau . La question divisera longtemps Lénine et Gorki : « En enjolivant l'idée de Dieu, vous enjolivez les fers par lesquels ils enchaînent les moujiks et les ouvriers ignorants », écrira encore Lénine à Gorki en 1913. Lénine est venu à Capri tenter de convaincre le groupe de Gorki qu'il faisait fausse route. L'adversaire de Lénine aux échecs est Alexandre Bogdanov (mort en 1928), écrivain, homme de science et

philosophe disciple de Mach dont Lénine pourfend les idées dans son essai *Matérialisme et empirocriticisme* qu'il est en train d'achever en cette année 1908. Jusque-là, Bogdanov avait été un très proche collaborateur de Lénine. Après sa rupture avec lui, il se consacra à des travaux scientifiques. Dès la révolution de 1917, il fut un des promoteurs de la « culture prolétarienne » (« Proletkult »). Le personnage à chapeau qui se tient debout près de Gorki est Vladimir Bazarov, un économiste du groupe de Gorki. Bolchevik de gauche il aura plus tard des mots très durs pour Lénine : « C'est un maniaque incurable qui signe des décrets en qualité de chef du gouvernement russe, au lieu de

suivre un traitement hydrothérapique sous la surveillance d'un aliéniste expérimenté… ».
Victime des premiers procès staliniens en 1930, il est accusé de menées contre-révolutionnaires et de sabotage industriel, et déporté avec quelques milliers d'autres économistes, ingénieurs et fonctionnaires. Entre Gorki et la femme de Bogdanov, se tient le jeune Zenovi Sverdlov (1884-1966), frère de Jacob Sverdlov, le bolchevik ami de Lénine qui deviendra président du comité exécutif des soviets. Zenovi Sverdlov, renié par son père, avait été adopté par Gorki qui lui donna son propre nom de Pechkov. Après avoir suivi Gorki en France et en Italie, Pechkov s'engage en France dans la Légion étrangère en 1914. Il perd un bras dans les combats de tranchées en 1915. Il est ensuite envoyé auprès des armées blanches de l'amiral Koltchak. Naturalisé français en 1923, il combat au Maroc, devient un collaborateur de Lyautey avant d'être envoyé aux Etats-Unis et au Liban. Il rejoint en 1941 à Londres le Général De Gaulle qui lui confiera, pendant puis après la guerre, plusieurs missions importantes en Afrique et en Extrême-Orient. Le général Pechkov fut en particulier envoyé par De Gaulle comme ambassadeur extraordinaire auprès de Tchang Kaï Shek.

Cette photographie est importante dans la biographie de Lénine : elle est une des rares qui le montre en exil et la seule qui illustre une phase décisive de son combat philosophique contre les « déviations » du mouvement révolutionnaire. De ce fait, elle ne pouvait être éliminée totalement des livres d'histoire et a connu divers remaniements. Ainsi on la recadre en centrant sur Lénine et en effaçant l'indésirable Bazarov. Dans une autre version on efface Pechkov qui, ayant quitté l'Union soviétique pour se mettre au service d'un autre pays, devait être considéré comme un traître. Bogdanov, l'adversaire de Lénine aux échecs ne pouvait guère être éliminé, lui. En revanche il n'est que très rarement cité dans les légendes de cette photographie.

1. Y. Jeliaboujski. Entre le 10 et le 17 avril 1908, Capri (Italie). Proletarskaïa revolutsia, n° 1, 1926. Toute une série de photographies avait été prise ce jour-là et d'autres ont paru dans Ogoniok (n° 17, 1928), Rabotnitza (n° 3, 1931, Troud (n° 55, 6 mars 1966).
2. Agence Tass (vers 1936) et nombreuses publications.
3. Récits sur Lénine (1968) et nombreuses autres publications. Variantes dans I.M.L., V.I. Lénine, 1964 et Lénine et Lounatcharsky, mélanges littéraires, Moscou 1971.

■ DÉTOURAGE
ET RESTAURATION

1er mai 1919. Lénine prononce un discours
sur la Place Rouge lors de l'inauguration
d'un monument provisoire à Stephane
Razine, héros de la révolte des cosaques au
XVIIIe siècle. Comme pour beaucoup de
photographies de l'époque, le négatif
original est une plaque de verre qui, à force
de manipulations, a été ébréchée et cassée.
Dans la version la plus largement diffusée,
l'image a été restaurée et la silhouette de
Lénine détourée. On a en particulier
éliminé le lampadaire quelque peu
incongru. Cette image saisissante d'un
Lénine orateur vu en contre-plongée, sera
abondamment utilisée par les auteurs
d'affiches ou de photomontages en Union
soviétique comme dans de nombreux autres
pays du monde.

1. G.P. Goldstein. *1er mai 1919, Moscou.* Kras-
noïarmeetz, *n° 62, 1924.*
2. Lenin, leben und werk, *Vienne, 1924;*
Lénine par l'image, *1950, et toutes publications.*

■ SUR LE CAMION

25 mai 1919. La situation est depuis
quelques mois très tendue : les armées
blanches progressent, menaçant Pétrograd
et Moscou. A cette époque Lénine doit faire
chaque jour des discours pour galvaniser les
troupes. On le voit ici debout sur la
plate-forme d'un camion, et haranguant les
milices populaires massées sur la Place
Rouge. Le personnage qui se tient derrière
lui est Tibor Samuelli, l'envoyé spécial du
gouvernement révolutionnaire hongrois de
Bela Kun, venu à Moscou pour demander
une aide au jeune pouvoir soviétique.
Sous Staline, on détoure Lénine afin de
mieux le mettre en valeur, et on efface du
même coup toute allusion à une possible
internationalisation de la révolution
bolchevique.

1. *K.A. Kouznetsov. 25 mai 1919. Krasnaïa
letopis (Manuscrit rouge), n° 1, 1924. Il existe
aussi une séquence filmée de la Kinokronika, repris
dans Kinopravda n° 21 de Dziga Vertov.*
2. *Début des années trente. Nombreuses publications en Union soviétique et ailleurs, par exemple :
Alexandre Bramine,* Vingt ans au service de
l'URSS, *Paris 1939.*

■ REVUE MILITAIRE

25 mai 1919. Lénine et les chefs militaires passent en revue les milices populaires sur la Place Rouge. Les illustrateurs ne retiendront le plus souvent que le seul personnage de Lénine, quitte à effacer ses voisins immédiats. La silhouette complètement détourée a été aussi abondamment utilisée dans les affiches, les timbres, sous forme de badge ou dans les illustrations les plus diverses.

1. Peut-être N. Smirnov. 25 mai 1919, Moscou. Brochure Ilitch, sans date.
2. Tass à partir de 1930. Existe sous de multiples formes diversement recadrées ou même entièrement détourées.

■ ENREGISTREMENT AU KREMLIN

Mars 1919. Lénine enregistre un discours sur disque dans un studio aménagé au Kremlin. Comme Lénine est légèrement débraillé et qu'on aperçoit ses boutons de gilet et de braguette, les iconographes de l'Institut du marxisme-léninisme qui veillent sur les archives photographiques et ont la charge de les diffuser, font retoucher cette zone particulièrement sensible. On en profite pour enjoliver un peu le visage de l'orateur et les objets du décor.

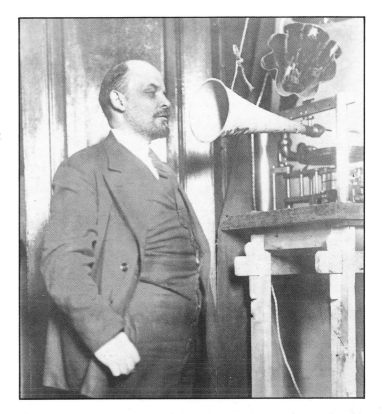

1. *L.Y. Leonidov. 29 mars 1919, Moscou.* Ogoniok, *n° 9, 1924.*
2. Récits sur Lénine *(1968). Variantes très proches dans de nombreux ouvrages dont* Lénine en images *(1950). Plusieurs peintures dans les musées Lénine (Moscou, Leningrad, Prague).*

1. *L.Y. Leonidov. 7 novembre 1919, Moscou.* Pravda, *n° 251, 9 novembre 1919, p. 3. Lenine* album, *Moscou 1920.*
2. *Toutes iconographies à partir de 1930. Lénine, recueil de photographies et d'images de films (Moscou, 1970).*
3. *Bande d'actualités* Les solennités d'Octobre à Moscou, *opérateurs G. Guiber et A. Lemberg, 1919. Recueil de photographies... (1970).*
4. Essai biographique *(1970),* Bref essai biographique *(1972) et d'innombrables brochures, voire même des dépliants touristiques comme* Leninskié mesta v'Moskve *(A Moscou, sur les pas de Lénine, sans date).*

■ LE COUDE DE TROTSKY

Kamenev, Lénine et Trotsky sur la place Rouge au cours d'une manifestation pour le deuxième anniversaire de la révolution d'octobre (7 novembre 1919). Trotsky fait le salut militaire. Autour du trio, il y a plusieurs bolcheviks, des gardes du corps et, devant eux, des enfants.

Léon Kamenev, beau-frère de Trotsky, membre du Politbureau puis opposant à Staline, sera jugé et exécuté en 1936. Léon Trotsky, plus prestigieux encore que Lénine, signataire de la paix de Brest-Litovsk, commissaire à la guerre, dirigeant de l'opposition de gauche, principal adversaire de Staline, sera déporté à Alma-Ata en 1928 puis, une fois en exil à Mexico,

assassiné sur ordre de Staline en août 1940. Dans les livres d'histoire, les revues, les encyclopédies, à partir de l'époque stalinienne apparaît une version de cette photographie au champ plus étroit, version qui subsiste encore aujourd'hui. Le cadre s'est resserré autour de Lénine : qui sait encore que cette épaule appartient à Kamenev et ce coude à Trotsky ?

A plusieurs reprises au cours de cette même cérémonie, photographes et opérateurs de la « Kinokronika », saisissent le trio central sous divers angles. Mais par la suite les illustrateurs soviétiques, retravaillant sur les photos et les images tirées des films, n'en garderont que des cadrages plus ou moins serrés sur Lénine, repeignant visages ou vêtements.

■ DU COMITÉ CENTRAL
A LA TROÏKA

Un même cliché peut avoir une postérité
nombreuse. En témoigne cette
photographie de groupe prise au cours du
VIIIᵉ congrès du parti bolchevique en 1919.
Il y a là Tomsky, Lachévitch, Smilga et une
quinzaine d'autres qui plus tard seront
assassinés par Staline. Fait assez rare dans les
documents de cette époque, Staline se
trouve assis juste à côté de Lénine.
A partir de la fin des années trente, on ne
garde de cette photographie qu'une fenêtre
horizontale enfermant Staline, Lénine et
Kalinine. Les premiers plans et le fond ont
été repeints afin d'effacer cols, vareuses,
chapkas, mains ou fragments de visages du
reste du groupe. Le trio paraît ainsi dans
divers cadres : rectangulaire plus ou moins
allongé, parfois inversé, ou encore ovale. Et
toujours retouché : Lénine ne garde pas
forcément son dossier sous le bras ; on
adoucit ses traits comme ceux de Staline.
La direction collégiale du parti bolchevique
se transforme ainsi par la magie du recadrage
en une sorte de « troïka » (la première
« Troïka », en 1922, comprenait Staline,
Zinoviev et Kamenev mais par la suite

l'URSS en connut bien d'autres, réelles ou
imaginaires). Kalinine deviendra président
de la république et restera une figure
marquante du régime stalinien jusqu'à sa
mort en 1946. On a pensé que sa survie
politique venait peut-être de son
extraordinaire ressemblance avec Trotsky :
dans les campagnes analphabètes, les images
des dirigeants – qui d'ailleurs changèrent
souvent de nom – remplaçaient les vieilles
icônes.
Mais dans diverses revues, dans plusieurs
ouvrages historiques de l'époque stalinienne,
pour mieux faire croire encore à l'étroite
amitié, à l'extrême proximité des deux
chefs, on élimine aussi Kalinine (on
rencontre encore deux sortes de retouches :
Lénine avec ou sans dossier).
Les années passent. XXIIᵉ congrès.
Destalinisation. Dans les livres de classe
distribués aux écoliers soviétiques sous
Leonid Brejnev, il y a toujours la même
image mais, cette fois, le cadre s'est resserré
vers la droite et ne nous donne plus à voir
que Lénine et Kalinine. Parfois c'est même
Lénine tout seul qui pose, avec ou sans
dossier, comme s'il était surpris par un
photographe dans un couloir sombre, au
sortir d'une séance de travail.

Puis dans les années 80, alors qu'on
recommence timidement à évoquer Staline
dans les livres d'histoire, c'est cette même
photographie qui sert de base à un portrait
du dictateur. Mais cette fois, on le montre
seul, détaché de Lénine.

*1. Vraisemblablement L.Y. Leonidov. 29 mars
1919, Moscou.*
*2. Istoria SSSR (version russe et française,
Moscou 1947 et 1949).*
*3. Lénine vu par Staline, Moscou, 1939 ; et
agence Tass, vers 1950.*
*4. Istoria SSSR, classe de 9ᵉ (terminale),
Moscou, 1979.*
5. Lénine, sa vie et son œuvre, Moscou, 1985.

И. Ленин, И. В. Сталин и М. И. Калинин на VIII съезде РКП(б). Март 1919

Фото.

■ ZOOM SUR LE COMITÉ CENTRAL

D'une photographie de groupe prise en 1922 et montrant plus d'une centaine de membres du Comité central bolchevique serrés autour de Lénine et de Trotsky, l'iconographie stalinienne ne retient que le visage de Lénine démesurément agrandi et retravaillé au pinceau. Trotsky (un peu à droite du centre de la photographie) et Kamenev (juste à gauche de Lénine) sont éliminés, et en même temps qu'eux tous ceux qui, entre 1936 et 1940, furent exécutés sur ordre de Staline. Lénine n'était qu'un personnage dans une foule. Il ne reste aujourd'hui dans les livres que son seul visage. Une douzaine de photographies de groupe où figure Lénine sont ainsi devenues des « portraits » de Lénine.

1. *Inconnu. 31 octobre 1922, Moscou.* Album Jizen Lenina - Istoria RKP *(sd).*
2. Lenine, recueil de photographies… *(1970)*

26

■ AVEC TROTSKY ET KAMENEV

A l'issue du meeting du 5 mai 1920, le photographe L. Leonidov saisit les trois dirigeants bolchéviques en pleine discussion. Dans les publications soviétiques, il ne subsiste aujourd'hui que le visage de Lénine.

1. L.Y. Leonidov. 5 mai 1920, Moscou. Ogoniok, n° 4, 1924. Figure aussi dans l'ouvrage d'Henri Guilbeaux, op. cit, 1924.
2. Lénine, recueil de photographies... (1970). Une autre photographie prise au même moment et montrant, dans le même cadre, Lénine le visage tourné vers Trotsky, a subi la même forme de recadrage.

■ LES ANCIENS DE 1905

En 1920, les membres du parti bolchevique qui avaient participé à la révolution de 1905, se réunissent et posent pour le photographe. Aux côtés de Lénine il y a Kamenev et quelques autres, plus tard exécutés par Staline. La version de cette photographie diffusée par l'Institut du marxisme-léninisme est recadrée au ras de Lénine.

1. V. Bulla. Soit 29 mars, soit 5 avril 1920. Leningrad, n° 2, 1925, et Henri Guilbeaux, Le portrait authentique de Lénine, Paris 1924.
2. Lénine, recueil de photographies... (1970).

■ VISAGES DANS LA FOULE

Petrograd, place du Palais, juillet 1920. A l'occasion de l'ouverture du IIᵉ congrès de l'Internationale communiste, Lénine fait un discours en faveur de Karl Lïebnecht et de Rosa Luxembourg. Une foule au pied de la tribune, une foule autour de Lénine. Banale photographie signée Viktor Bulla, un photographe à qui l'on doit quelques grandes scènes de l'histoire soviétique et plusieurs portraits de Lénine retravaillés par la suite comme des images pieuses. L'image a circulé, a été diffusée par les agences de presse dans le monde entier. Or, dans la version officielle de l'Institut du marxisme-léninisme, version qu'on retrouve aussi bien dans les nombreuses publications historiques de l'Institut qu'au musée Maïakovski de Moscou, les deux visages qui se trouvent juste derrière Lénine ont disparu ainsi que le troisième personnage debout à gauche. Impossible d'identifier celui dont le visage est caché par Lénine (peut-être n'a-t-il été effacé que pour faire ressortir le visage de Lénine). Par contre on peut mettre un nom sur l'homme de haute taille, coiffé d'une casquette, que les retoucheurs font disparaître, comme son camarade, dans le fouillis des drapeaux bordant la tribune. On peut mettre aussi un nom sur l'homme au manteau gris que les retoucheurs font se fondre dans le costume sombre du personnage à chapeau mou juste derrière lui, oubliant cependant un morceau de la manche du manteau, de l'autre côté de la hampe d'un drapeau. L'homme-drapeau, visage rond et jovial, moustache fournie, casquette de biais, c'est sûrement Nicolas Boukharine (1888-1938). L'homme-costume, front dégarni, visage maigre et sévère, pommettes saillantes, petite moustache, c'est sans doute Anastase Mikoyan (1895-1978).

Le premier a été exécuté en 1938. Le second a survécu longtemps, même à Staline. Et il doit sans doute son effacement à une courte période de disgrâce. Ou peut-être tout simplement à la jalousie de Staline qui ne figure aux côtés de Lénine que sur très peu de photographies authentiques, et qui ne pouvait supporter que certains de ses collaborateurs aient été plus « révolutionnaires » que lui.

1. V. Bulla. 19 juillet 1920, Petrograd. Krasnaïa panorama, n° 3, 1924.
2. Musée Maïakovski, Moscou ; et agence Novosti, vers 1950. Voir aussi C. Frioux, Maïakovski par lui-même, Paris, 1961. La version originale est reparue à partir de 1960 environ et figure désormais dans de nombreux ouvrages : Sowjetische Fotografen (1980) ou Lénine, sa vie et son œuvre (1985).

■ TROTSKY DISPARAÎT

5 mai 1920. Trostky, Kamenev et Lénine s'adressent à tour de rôle aux troupes partant combattre contre l'armée polonaise (qui avait envahi l'Union soviétique en mars). Deux photographies montrant Lénine à la tribune ont été prises à quelques secondes d'intervalle mais sous des angles légèrement différents : ce sont sans doute les plus célèbres de toute l'imagerie révolutionnaire. Elles ont donné lieu à une immense variété d'affiches, de photomontages, de couvertures de livres, de statues, de fresques, de mosaïques, de badges, de timbres poste. Mais c'est la silhouette de Lénine seulement qu'ont retenu les illustrateurs. C'est qu'à partir des années trente, après l'exil de Trotsky, la photographie n'apparaît plus que sous diverses formes repeintes et recadrées (3 et 4). Il était cependant assez tentant pour les censeurs d'en donner une version intégrale montrant la tribune et la place : c'est ce qu'ils ont fini par faire en effaçant Trotsky et Kamenev et en repeignant à leur place l'escalier et les planches de la tribune (2). Les peintres pompiers traitent ce même thème de multiples façons, mais toujours en éliminant Trotsky et Kamenev. Ainsi en 1932, I. Brodský, peintre de l'école « réaliste-socialiste », disciple de Guerassimov, rééquilibre la composition (5) en plaçant un journaliste dans la zone où devaient se trouver les deux dirigeants bolcheviques !

1. P. Goldstein. Il existe encore deux autres photographies avec des cadrages à peu près identiques et montrant d'autres attitudes de Lénine. Par ailleurs, on connaît une photographie de Trotsky parlant pendant que Lénine et Kamenev attendent au pied de la tribune (voir David King, Trotsky, 1979). Leninsky sbornik, 1924, et H. Guilbeaux, op.cit., 1924.
2. Extrait de Institut du marxisme-léninisme, V.I. Lénine, 1964. Première publication dans Krasnaïa niva, n° 8, 1923 (version intégrale avec Trotsky).
3. Lénine, recueil de photographies, 1970. Serguëi Morozov, Tvorgeskaïa Fotografia (Photographie créative), Moscou, 1985.
4. Lénine en images, 1950.
5. Tableau de Brodski. Sovietskoie Iskoustvo 1917-1957, Moscou 1957. Et Lénine, sa vie et son œuvre, 1985.

■ AU MILIEU DE SES COLLABORATEURS

Lénine est surpris par le photographe au milieu de ses proches collaborateurs lors d'une réunion du bureau du IXᵉ congrès du parti communiste russe en 1920. Le personnage au premier plan est Rykov. Assis de gauche à droite : Yénoukidzé, Kalinine, Boukharine, Staline, Lachévitch, Kamenev, Préobrajensky, Serebriakov, Lénine. Au second rang, derrière Boukharine, Metcheriakov, Krestinsky, Berzine, Milioutine, Smilga. Yénoukidzé, Boukharine, Kamenev, Préobrajensky, Serebriakov, Rykov furent exécutés entre 1936 et 1940. Lachévitch s'est suicidé en 1928. Tomski s'est suicidé au moment où il allait être arrêté, en 1936. Les versions de cette photographie publiées après la seconde guerre mondiale par l'Institut du marxisme-léninisme sont recadrées sur la partie droite ou parfois même ne montrent que le visage de Lénine.

1. *V. Bulla. Soit le 29 mars, soit le 5 avril 1920, Moscou. Leningrad, nº 2, 1925 et H. Guilbeaux, Le portrait authentique de Lénine, Paris, 1924.*
2. *Lénine, recueil de photographies… (1970).*

■ LÉNINE ET GORKI

Juillet 1920. Le second congrès de l'Internationale communiste (« Komintern ») siège au Palais Uritsky à Pétrograd. Au cours d'une pause, le photographe Viktor Bulla saisit un groupe de congressistes qu'il cadre dans le décor d'un perron délabré. Autour de Lénine, il y a Radek (assis sur la balustrade et qui fume), Boukharine (deuxième après Radek), Gorki (derrière Lénine) et, juste après Gorki, Zinoviev, le délégué indien M.N. Roy et la sœur de Lénine, Maria Oulianova.

Une première version, dès les années trente, ne retient de ce cliché qu'une étroite bande verticale, contenant Lénine et Gorki, éliminant ainsi Radek (exécuté en 1939), Boukharine (exécuté en 1938), la sœur de Lénine (peut-être empoisonnée en 1937 sur ordre de Staline) et Zinoviev (exécuté en 1936) dont on voit encore l'épaule. C'est cette version « noble », seulement recadrée, qu'on exporte et qu'on montre par exemple dans les expositions sur la photographie soviétique.

Mais, sur d'autres versions, même les personnages qui restent autour de Lénine sont effacés. La balustrade est réparée et les marches cassées sont repeintes, le badge et le ruban que porte Lénine à la boutonnière sont gommés. La bourgeoise chaîne de montre qui barre son gilet, supprimée. Ses chaussures sont cirées, les froissures de son gilet et de son pantalon effacées, les herbes folles à ses pieds, coupées. Le visage dur et creusé par les ombres est adouci. Les yeux sont ouverts. Le cou est élargi afin d'atténuer le décollement des oreilles. Ce petit doigt, négligé, ambigu, que Lénine laissait dépasser de sa poche de pantalon, rentré. Vingt cinq personnes éliminées, toutes sortes de détails effacés, reste l'édifiant tableau « Lénine et Gorki en 1920 », qu'on peut voir au musée Lénine à Moscou et que reproduit la *Grande encyclopédie soviétique* (mais aussi n'importe quel livre soviétique ou même occidental sur Lénine ou sur Gorki). Dans les œuvres complètes de Gorki paraît ensuite une autre version du tableau, mais de facture encore plus frustre. Et le badge est revenu à la boutonnière de Lénine…

Malgré ses brouilles avec Lénine, ses exils successifs, ses réticences vis à vis de la révolution suivies d'accès d'enthousiasme, sa méfiance envers Staline et son entourage, Gorki finira par accepter de rentrer en Union soviétique, se laissera baptiser par Staline « grand écrivain prolétarien » et « créateur de la littérature soviétique ». On le nommera membre de l'académie Lénine et du comité exécutif central. On donnera son nom à des écoles, des théâtres, des usines. On donnera même son nom à sa ville natale, l'antique Nijni-Novgorod. Mais la fin de Gorki ne manque pas de mystères : désabusé sur la réalité soviétique, il aurait pu être empoisonné sur ordre de Staline (1936).

1. V.Bulla. 19 juillet 1920, Petrograd. Komounisticheski internatsional (L'internationale communiste), n° 13, 1920 et Ogoniok, 2 octobre 1927 (la photo est tronquée sur la droite).
2. Tass à partir de 1945. Sowjetische Fotografen (1980), Lénine, sa vie et son œuvre (1985). Figurait sous cette forme à l'exposition consacrée au centième anniversaire de la naissance de Lénine au Grand Palais à Paris (mai-juin 1970).
3. Photo-peinture géante du musée Lénine à Moscou. Catalogue du musée Lénine. Voir aussi N. Gourfinkel, Gorki par lui-même, 1954. Et les ouvrages soviétiques sur Gorki comme A.M. Gorki 1868-1936, Moscou, 1962.
4. Tome 16 des œuvres de Maxime Gorki, Moscou 1979. Différentes versions très retouchées dans la Grande encyclopédie soviétique, 2e édition, 1949-1960, volume 12, p. 148.

■ STALINE REND VISITE A LÉNINE

Au début de 1921, on découvre que Lénine est gravement atteint d'artériosclérose. Il passe désormais la plupart de son temps à Gorki, près de Moscou. Dans cette retraite, il reçoit peu de visiteurs, essentiellement des proches comme sa sœur ou Kamenev. L'authenticité de cette photographie a été longtemps mise en doute. Cependant, même si cette image a paru avec diverses retouches (le papier sur les genoux de Lénine, le mégot entre les doigts de Staline), il semble qu'il existe bien dans les archives de l'Institut du marxisme-léninisme, plusieurs clichés authentiques pris par la sœur de Lénine, Maria Oulianova, lors d'une visite de Staline à Gorki au cours de l'été 1922.

Cela ne devait pas suffire aux yeux de Staline puisqu'une première image entièrement composite fut d'abord diffusée au début des années trente. Lénine est au fond de sa chaise longue et un Staline paternel, assis sur une chaise à peine esquissée mais surélevée, le domine. Une autre composition montre les deux hommes debout côte à côte dans le jardin. Mais cette fois, on est soit parti d'une photographie très floue de Maria Oulianova prise le même jour et sur laquelle on a repeint des visages, soit carrément d'une photographie montrant Lénine en compagnie d'un autre visiteur dont le visage aurait été remplacé par celui de Staline.

Toutes ces manipulations photographiques ont eu une fonction précise : contrebalancer les termes du « testament » de Lénine, une note confidentielle longtemps restée secrète. « Le camarade Staline, en devenant secrétaire général, a concentré dans ses mains un pouvoir immense et je ne suis pas convaincu qu'il puisse en user avec suffisamment de prudence » y déclare Lénine. Et plus loin : « Staline est trop brutal et ce défaut, pleinement supportable dans les relations entre nous, communistes, devient intolérable dans la fonction de secrétaire général. » Une bonne part des images de propagande de la période stalinienne visera donc à effacer le souvenir de ce « testament » et à montrer au contraire l'« étroite amitié » entre les deux hommes.

1. *Maria Oulianova. Août ou début septembre 1922, Gorki. Supplément illustré de la Pravda, n° 215, 24 septembre 1922.*
2. *Agence Tass, Fotokronika n° 281343, décembre 1938.*
3. *Lénine, sa vie et son œuvre, 1985. Dans le même ouvrage on trouve un autre cliché, très proche de la photo originale et qui semble avoir été pris à quelques instants d'intervalle.*
4. *Musée Lénine, Moscou, 1939.*

■ EFFACEMENT PROGRESSIF D'UN TÉLESCOPE

A Gorki (aujourd'hui « Gorki-Leninskie »), cloîtré dans le domaine d'un ancien gouverneur de Moscou où il mourra le 21 janvier 1924, Lénine consacre ses nombreuses heures de repos forcé à la lecture. Parfois, il regarde le ciel à l'aide d'un petit télescope. Cette image cadrée de façon insolite par la sœur de Lénine, Maria Oulianova, a toujours posé des problèmes aux censeurs. Ainsi, au cours des années, on a réduit de diverses façons le tube du télescope qui avait toute l'apparence d'un

canon et semblait menacer la tempe de Nadedja Kroupskaïa (1869-1939), la compagne de Lénine. Dans les versions les plus récentes publiées par l'Institut du marxisme-léninisme, on a réglé définitivement le problème en effaçant purement et simplement l'encombrant et inquiétant télescope !

1. Maria Oulianova. Août ou début septembre 1922. Pravda, nº 215, 24 septembre 1922.
2. Agence de presse Novosti, vers 1970.
3. Lénine, sa vie et son œuvre, 1985.
4. A. Nenarokov, Vladimir Lénine, Agence Novosti, 1985.

Scènes de la révolution

Lorsque, quelques années après la révolution d'Octobre, les historiens soviétiques commencèrent à vouloir écrire l'histoire du mouvement révolutionnaire, ils constatèrent que les images étaient souvent en contradiction avec la ligne officielle. Le mouvement révolutionnaire avait été complexe, de nombreux partis étaient représentés à la Douma, l'agitation n'était pas due aux seuls bolcheviks et plusieurs hommes politiques avaient tenu quelques saisons la vedette alors que Lénine n'était encore qu'un inconnu. La plupart des manifestations de rue de Petrograd mobilisèrent des foules très hétérogènes, composées surtout de soldats, de petits bourgeois ou de fonctionnaires et assez peu d'ouvriers de la ville. Après la victoire des bolcheviks la répression fut sanglante. Il y eut ensuite la guerre civile avec, de part et d'autre, des massacres et des tortures d'une rare horreur.

Le premier type d'intervention sur les photographies fut donc la censure : parmi les milliers de photographies prises à cette époque, on ne montre encore aujourd'hui que celles qui intéressent le seul mouvement bolchevique, quelques manifestations de février ou de juillet 1917, puis les événements d'octobre et les massacres perpétrés par les seules armées blanches. Certaines de ces photographies ont d'ailleurs subi de discrètes retouches afin de les faire coïncider avec l'histoire officielle : adjonction de drapeaux rouges à des manifestations, élimination des banderoles de groupes politiques « bourgeois », voire d'étendards religieux, maquillages d'affiches ou d'insignes sur des uniformes.

On découvrit aussi qu'au cours des journées révolutionnaires, la précipitation, l'improvisation, le désordre général avaient empêché que chaque phase de la situation, chaque discours, chaque attaque soient enregistrés par les photographes ou les cinéastes présents. Les clichés pris au cours de ces journées étaient rarement ceux d'instants décisifs (notable exception : la fusillade du 26 juillet sur la perspective Newski, saisie par Viktor Bulla). Ils montraient plutôt des creux, des parenthèses : les gardes rouges bivouaquant dans les rues ou à l'Institut Smolny, le Palais d'Hiver au lendemain de l'attaque… Rien qui puisse donner une image nette et globale de la « grande révolution prolétarienne ». Les reconstitutions dues au théâtre de rue puis le cinéma des années vingt devaient apporter aux historiens le complément iconographique qui faisait défaut, leur permettant même de remonter en arrière jusqu'à la révolution annonciatrice de 1905.

■ LE « DIMANCHE ROUGE »

Janvier 1905. Petrograd. Grève générale aux usines Poutilov. Chantiers navals, manufactures, filatures sont gagnés par le mouvement. Le matin du dimanche 9 janvier des dizaines de milliers d'ouvriers, en cortèges venant de tous les faubourgs, se rendent vers le Palais d'Hiver protégé par l'armée. En tête d'une des colonnes, le pope Gapone, entouré de porteurs d'icônes. Il s'agit d'aller déposer une pétition au Tsar. Dès la porte de Narva, les manifestants sont arrêtés, les soldats tirent. Il y a de nombreux morts et blessés. L'après-midi les incidents recommencent autour du Palais d'Hiver. Et, dans un désordre considérable, la troupe tire sur les manifestants aussi bien que sur les curieux grimpés dans les arbres ou massés contre les grilles. La journée restera comme le « Dimanche rouge » (qu'on appelle aussi parfois le « Dimanche noir »).
S'il y eut quelques photographies des rues et des barricades ce jour-là, aucune n'atteint en intensité ce cliché imposant qu'on ne vit apparaître dans la presse que vers la fin des années vingt. L'alignement des soldats et celui de la foule sur la neige, le contraste violent entre noir et blanc, le heurt des diagonales, tout a contribué au succès de cette image en laquelle on croit reconnaître le style du cinéma soviétique des années vingt. Il s'agit en effet d'une scène de *Dejatoe Janvaria* (« 9 janvier », autre titre *Krovavoe voskresenie*, « Dimanche noir »), un film de Viatcheslav Viskovsky, pesante reconstitution historique mêlée de personnages de fiction, tournée à Leningrad en 1925, avec Eugeni Boronihine dans le rôle du pope Gapone et A. Edvakov dans celui de Nicolas II. La dernière partie de ce film, par ailleurs assez ennuyeux, est remarquable par ses mouvements de foule et par son travail graphique qui rappelle Eisenstein. Photogramme directement tiré du film et retouché, ou bien photographie faite au cours du tournage, c'est cette image, présentée comme une photo d'époque, qui depuis la sortie du film, symbolise dans toutes les publications soviétiques la révolution de 1905.

Diffusé à partir de 1927-1930 par l'agence Tass. Illustre à peu près tous les livres d'histoire en Union soviétique et, par exemple, Lénine, sa vie et son œuvre (1985). Figure aussi dans divers recueils sur l'histoire de la photographie : Les premiers reporters photographes 1848-1914, Paris, 1977. Diffusée par l'agence Viollet avec la légende : « Octobre 1917, la garde tsariste tire sur la foule » !

■ LES ESCALIERS D'ODESSA

Le 27 juin 1905, à bord d'un navire cuirassé de la flotte russe de la mer Noire, le *Kniaz Potemkine Tavrichevsky*, une mutinerie éclate parmi les 670 hommes de l'équipage pour une histoire de viande avariée. Les mutins, sous la conduite du matelot Afanasy Matushenko, s'emparent du navire, tuent plusieurs officiers, en jettent plusieurs autres à la mer et viennent mouiller devant le port d'Odessa. La ville connaissait depuis le mois d'avril grèves et manifestations insurrectionnelles. Le matin du 27, le général Kokhanov, gouverneur militaire de la région, avait décrété la loi martiale. Dès leur arrivée, les marins du Potemkine exposent sur un quai le cadavre de Gregori Vaculinchuk, un matelot tué au début de la mutinerie par le commandant en second. Le lendemain, la foule est si considérable sur le port que le général donne aux cosaques l'ordre de la disperser. Un massacre épouvantable s'ensuit (il y eut ces jours-là au moins 6 000 morts), mais contre toute attente, les canons du Potemkine n'interviennent pas. Quelques autres navires de la flotte imitent le Potemkine et hissent le drapeau rouge. Cependant le mouvement n'aboutit pas et au bout de quelques jours le navire s'éloigne d'Odessa. Il gagne d'abord le port roumain de Constantza où l'accueil est neutre puis le port charbonnier de Théodosia, en Crimée, où les mutins sont accueillis à coups de fusil. De retour à Constantza le 8 juillet, le Potemkine est sabordé et les mutins se rendent aux autorités roumaines qui leur offrent de s'établir dans le pays.
L'aventure, quoique fort violente, n'avait laissé à peu près aucune trace dans l'histoire russe lorsque Serge Eisenstein, chargé de commémorer le vingtième anniversaire de la révolution de 1905, la choisit comme thème de son film. Achevé en 1925, le film fut assez fraîchement reçu par les autorités soviétiques. Le succès formidable qu'il eut à l'étranger finit par lui donner la vedette dans son pays d'origine. Depuis, les images ont tant de fois été reproduites, le film a été tellement vu de par le monde que le mythe a remplacé l'histoire. D'ailleurs les archives disponibles sont très maigres et les historiens, qu'ils soient russes ou étrangers, s'affrontent toujours sur toutes sortes de points de détail. En particulier sur la scène la plus hallucinante du film, celle des fameux escaliers d'Odessa dont pourtant Eisenstein a raconté clairement l'origine :
« Cet escalier devait simplement être utilisé comme un lien dramatique et rythmique entre les victimes de la tragédie qui venaient s'y égailler pour mourir. Mais aucune des versions préparatoires, aucun des plans de montage

n'avaient prévu une fusillade sur l'escalier d'Odessa. Cette fusillade fut conçue en un éclair, dès que je vis cet escalier.
Une légende veut que toute cette séquence naquit dans mon esprit, un beau jour, alors que j'étais assis au sommet de l'escalier – au pied de la statue du Duc de Richelieu – que je mangeais des cerises et que j'en crachais les noyaux pour les regarder rebondir de marche en marche.
C'est un mythe – un mythe pittoresque mais un mythe quand même. En vérité, il a suffi du seul mouvement des escaliers pour faire naître dans mon esprit l'idée de cette scène. L'envol du monument créa, chez le réalisateur du film, la conception d'une nouvelle spirale dramatique. Et il me semble que la panique de la foule, s'élançant vers le bas de l'escalier, n'est en fait que la matérialisation des sentiments que m'inspira mon premier contact avec ce monument. »
En concentrant toute l'imagerie de la répression sur les escaliers, Eisenstein a imposé un flot d'images violentes et belles, tellement persuasives que les historiens, aujourd'hui, en arrivent à décrire minutieusement des épisodes de ces journées sans se rendre compte qu'ils ne font que décrire des scènes entièrement imaginées par le cinéaste.
Avant la mutinerie, il existait divers documents photographiques montrant le navire lui-même ou bien les officiers posant sur le pont. Pendant la mutinerie, aucun photographe n'était monté à bord et le navire se trouvait trop loin des quais pour que des détails puissent être saisis. Au cours de la charge des cosaques, aucune photographie n'a été prise : les photographes n'avaient pas encore pris l'habitude de participer directement aux événements. Par contre la presse européenne, dans les semaines qui suivirent, publia de nombreuses photographies prises après le retour au calme et montrant les résultats des pillages, des incendies et les amoncellements de cadavres. Les seules photographies connues des mutins furent prises en Roumanie lorsque le Potemkine eut mouillé à Constantza.
A la fin des années vingt, les historiens soviétiques, stimulés par le film d'Eisenstein, commencèrent à s'intéresser à la mutinerie ; ils n'hésitèrent pas alors à illustrer leurs ouvrages à l'aide d'images extraites des séquences d'Eisenstein : ils choisirent même la fameuse scène des escaliers qui est historiquement la plus douteuse du film (photo 1). Puis les photos « touristiques » faites par les visiteurs à Constantza furent retouchées (on efface les visiteurs qui posent avec les marins, et surtout les femmes) et présentées comme des photographies prises à Odessa (photo 2, légendée en général : « A bord du Potemkine, peu après que les

41

mutins se soient emparés du navire »).
D'autre part, les photographies des pillages,
des incendies et aussi des pogromes qui
furent nombreux à Odessa – ce que les
historiens soviétiques cachent le plus
souvent – furent soigneusement mises au
secret. Enfin, on fabriqua – sans doute à
partir des seuls documents disponibles, les
photos d'identité des dossiers militaires –,
des portraits très idéalisés des deux
principaux héros de la mutinerie,
Matushenko et Vaculinchuk. Ainsi le type
asiatique prononcé de Matushenko, tel qu'il
apparaît sur les photographies prises à
Constantza (photo 3), est complètement
éliminé sur le portrait publié par les
historiens soviétiques (photo 4). Le flou
artistique d'une telle « photographie »
contraste avec le rigoureux réalisme
anthropométrique qui était la loi du portrait
d'identité militaire à l'époque.

1. A. Fedorov, Revolutioniye Vosstaniya
v'Tchernomorskom flot v'1905 godou (Le sou-
lèvement révolutionnaire de 1905 dans la flotte
de la mer Noire), Moscou, 1946. Le livre est en
fait illustré par un montage photographique composé
à partir d'images du film. La fragilité du seul
exemplaire conservé à la Bibliothèque nationale n'a
pas permis de reprendre exactement cette image.
2. Photographie signée M.A. Forst et publiée dans
divers magazines européens (par exemple L'Illustration, 22 juillet 1905). Reprise sous une forme
retouchée dans la plupart des livres d'histoire
soviétiques.
3. L'Illustration, 22 juillet 1905.
4. A. Fedorov, op. cit., 1946. Et Lénine, sa vie
et son œuvre, 1985.

■ L'ASSAUT

De toutes les images de la révolution d'Octobre, la photographie intitulée « l'assaut » est sans doute la plus connue, la plus reproduite. On la trouve dans tous les livres d'histoire publiés en Union soviétique, dans toutes les brochures sur la révolution, et dans un nombre incalculable d'ouvrages publiés dans le monde entier. Elle prétend montrer un moment clé des « dix jours qui ébranlèrent le monde », la prise du Palais d'Hiver, le 25 octobre 1917. On voit au fond l'immense façade du Palais et, à gauche, au milieu de l'esplanade, le piédestal de la colonne d'Alexandre. Au premier plan et sur la droite, des soldats courent vers le bâtiment derrière ce qui semble être une automitrailleuse enveloppée de fumée. La composition est belle. Son cadrage, sa densité, sa dynamique en font une vraie et forte image révolutionnaire, effectivement digne de tous les manuels d'histoire. C'est justement cette beauté qui la rend quelque peu suspecte.

Premier point de doute : on ne voit pas quelle miraculeuse estrade aurait pu surgir là soudain sous les pieds d'un photographe. On ne parvient pas non plus à imaginer ce photographe intrépide perché sur la grille de l'Aigle, comme l'acteur-soldat du film *Octobre*, et réussissant en équilibre instable cet exceptionnel cadrage.

Deuxième point curieux : il y avait fin 1917, tout autour du Palais, des barricades de protection de plus de trois mètres de haut faites de rondins ou de sacs de sable (ce que paradoxalement nous montrent – parfois dans les mêmes livres – d'autres photographies, authentiques celles-là et prises la veille ou le lendemain) ; or, sur ce cliché, les barricades ont disparu.

Dernier point, sans doute le plus important : au moment où devrait avoir été prise cette photographie, c'est-à-dire peu après la fuite de la cavalerie cosaque, à l'instant même où, la grille venant de céder, les gardes rouges et les soldats révolutionnaires s'élancent vers le Palais d'Hiver, nous sommes le 25 octobre (ou si l'on préfère le 7 novembre de notre calendrier) aux alentours de minuit, au cœur d'une nuit de l'automne nordique, dans une ville privée d'éclairage. « L'obscurité était complète », rapporte John Reed qui suit cette troupe tatonnante et ne parvient à distinguer les premiers rangs des soldats que lorsqu'ils arrivent juste sous les fenêtres du Palais qui, elles, diffusent la vague lumière des feux allumés par les cosaques.

Toute image, même mensongère, a sa vérité. Cette photographie représente bien un assaut contre le Palais d'Hiver. Nous sommes bien le 7 novembre. Et ce sont même sans doute, pour la plupart, de vrais soldats révolutionnaires qui courent sur l'esplanade. Mais la scène a eu lieu trois ans plus tard, en 1920, et en plein jour, lors d'une grande manifestation de rue organisée en commémoration des journées d'Octobre par le district militaire de Petrograd et avec la collaboration du théâtre d'agitation de la Comédie libre (Volnaïa Komedia), dit aussi « Théâtre de la satire révolutionnaire » (Terevsat). Le théâtre qui fonctionna jusqu'en 1924 (mais en se dépolitisant peu à peu) intervenait dans la ville, dans les rues, les usines, sur les ponts, et faisait participer le public à ses actions. Lorsqu'il fallait représenter les grandes scènes de foule de la révolution, il faisait appel aux ouvriers des usines, et même souvent aux soldats de l'armée rouge (il y avait d'ailleurs plusieurs troupes théâtrales dans l'armée elle-même). C'est le cas pour cette représentation de l'assaut contre le Palais d'Hiver qui mobilisa 8 000 soldats, 500 musiciens, des blindés, des canons et même le croiseur Aurore. Le décorateur en fut Youri Annenkov et le « metteur en scène commandant » Nicolaï Evreïnov. Tous deux ont ensuite quitté l'Union soviétique et ont donc pu dire en exil la vérité sur ces scènes, mais les images qu'ils avaient inventées sont restées dans les livres soviétiques comme les images mêmes de la révolution.

Au début, comme cette image ne coïncidait pas vraiment avec les souvenirs que pouvaient en garder ceux qui avaient participé à la révolution d'Octobre, on en imprimait une version très sombre sur laquelle les fenêtres du Palais d'Hiver avaient été rehaussées de gouache blanche de façon à donner l'illusion d'un bâtiment vu de nuit et éclairé de l'intérieur. Mais on est revenu à une version plus sobre. Comme l'écrivirent plus tard deux historiens du théâtre soviétique, commentant ce spectacle en 1920 : « L'une des trouvailles intéressantes de la « Prise » était évidemment d'avoir fait entrer en jeu l'authentique Palais d'Hiver ».

1. *Inconnu. 7 novembre 1920. Version 1 : John Reed,* Dix jours qui ébranlèrent le monde, *Moscou, et Paris, 1927.*
2. *Nombreuses publications en Union soviétique. Par exemple* Lenin, Partiya, Oktyabry (Lénine, le Parti, Octobre), *Moscou 1977. Et aussi livres d'histoire, brochures, guides touristiques, cartes postales, etc...*

■ LA MAIN DU TSAR

Le tournage d'*Octobre* en 1927 devait fournir aux historiens soviétiques l'imagerie révolutionnaire qui leur manquait. Dans un texte assez truculent, Eisenstein a raconté comment, durant six mois, il avait tourné sont film à Petrograd (entre temps devenu Leningrad), bouleversant les rythmes de plusieurs quartiers de la ville et les habitudes casanières et nonchalantes de leurs habitants. Eisenstein disposa de plus de 100 000 hommes, reconstitua de grands mouvements de foule, dans les usines, dans les rues, sur les ponts, autour et dans le Palais d'Hiver. Et là les opérateurs de cinéma et les photographes eurent le temps de saisir, sans risquer une balle perdue, de belles images bien mises en scène, montrant dans leur splendeur et leur totalité chacune des dix journées « qui ébranlèrent le monde ». Comme le dit un critique de cinéma communiste : « On trouve dans *Octobre* des passages dignes des meilleures actualités reconstituées. » Et il est assez fréquent en effet de trouver dans les ouvrages historiques des images d'*Octobre* présentées comme des photographies d'actualité, par exemple : Lénine en plein discours (l'acteur Nikandrov, 1), le comité central (représenté pourtant par des acteurs, 2), les usines insurgées (3), l'attaque du Palais d'Hiver (4).

Il est un autre aspect d'*Octobre* qui a longtemps échappé aux historiens. Il est assez difficile et délicat aujourd'hui de faire le procès d'Eisenstein lorsqu'on sait que la première version d'*Octobre* montrée par l'auteur fin 1927 faisait 3 800 mètres, que la version présentée au public début 1928 seulement 2 800 et que les copies conservées aujourd'hui dans les différentes cinémathèques occidentales dépassent à peine 2 200 mètres. Mais, même si l'on peut imaginer aisément la nature des coupes qui ont été exigées par Staline (au moment où le film sort, Trotsky est déporté à Alma-Ata, il sera expulsé l'année suivante d'Union soviétique), il n'en reste pas moins qu'il est impossible aujourd'hui d'accepter la vision caricaturale de l'histoire que nous offre ce qui reste du film : les bolcheviks, seuls acteurs de la révolution, les mencheviks grotesques, Kerenski dictateur odieux, couard et mégalomane, mis sur le même plan que la droite de Kornilov, l'église ralliée à la révolution, etc.

Aux toutes premières images du film, on voit l'énorme statue d'Alexandre III. Le Tsar est assis sur son trône, il a sa couronne sur la tête, il tient son sceptre dans la main droite et le globe impérial dans la main gauche. Une foule de paysans et d'ouvriers le cerne. Des hommes et des femmes

47

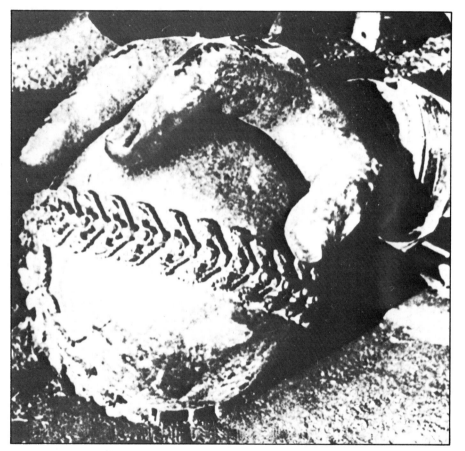

passent une douzaine de cordes autour du buste et des membres. Ensuite on voit la statue, mais cette fois sans cordes, qui se disloque morceau par morceau. Pendant tout le film, elle se décompose ou se recompose selon l'évolution de la situation révolutionnaire. La chute de la statue a été traitée par Eisenstein comme symbole, et, noyée comme elle l'est dans un déroulement continu qui comprend plusieurs milliers de plans, on ne s'interroge pas, on n'en a d'ailleurs pas le temps, sur les rapports de cette image avec les réels événements historiques.

Or, premier décalage, le film se passe intégralement à Petrograd alors que la statue se trouvait devant l'église du Christ-Sauveur à Moscou. Et surtout le déboulonnage ne s'est réellement produit qu'en 1921, soit quatre ans après la révolution d'Octobre, alors que le nouveau pouvoir était solidement établi. Elle n'a pas été mise à bas par un groupe d'ouvriers et de paysans représentant « le peuple russe » mais par des fonctionnaires de la ville de Moscou. Pourtant on trouve aujourd'hui dans tous les ouvrages soviétiques, pour illustrer les journées d'octobre 1917, des gros plans de la main du Tsar tenant le globe et tombée sur le sol. Plus bizarre encore, la photographie est toujours imprimée à l'envers et nous montre une main droite. Ainsi réalisant son film en 1927, évoquant les journées révolutionnaires de 1917, Eisenstein y intègre un événement de 1921 (qu'il a bien entendu reconstitué à l'aide de maquettes). Il est ensuite relayé par les « historiens » soviétiques qui réutilisent ses propres images pour illustrer l'épopée révolutionnaire… L'image est donc quatre fois fausse. Fausse parce qu'elle montre une maquette de cinéma, fausse parce qu'elle est censée représenter un événement qui ne s'est pas produit à ce moment, fausse parce qu'elle laisse entendre que cet événement a eu lieu à Petrograd et non à Moscou, fausse enfin parce qu'elle reproduit une main droite au lieu d'une main gauche.

1, 2 et 3. Diffusées par l'agence Tass vers 1930-1936 sans mention d'origine. Reprises par la plupart des grandes agences occidentales (Keystone, Viollet) avec des légendes : « Réunion du Comité central à Petrograd », « Lénine parle », « Les usines se soulèvent ». On les retrouve dans de nombreux livres d'histoire, par exemple : G. Soria, Les 300 jours de la révolution russe, Paris 1967 ; ou Lénine, Génies et réalités, Paris, 1972.
4. V.I. Lénine, Bref Essai biographique, Moscou, 1972. Avec comme légende : « Le 7 novembre 1917, le peuple révolté de Petrograd prit d'assaut le Palais d'Hiver, citadelle du gouvernement provisoire contre-révolutionnaire. »
5. A. Nenarokov, 1917 en Russie, La révolution mois par mois, Moscou, 1977.

■ CAMOUFLAGES A SMOLNY

L'institut Smolny était un pensionnat édifié
sur ordre de Catherine II pour donner une
nouvelle forme d'éducation aux jeunes filles
de l'aristocratie. C'est dans ce bâtiment situé
au bord de la Neva, à l'écart du centre de la
ville, que s'était installé, avec l'accord de
Kerenski, le comité exécutif central des
conseils (Soviets) de députés ouvriers et
soldats. Le IIe congrès des Soviets y
proclama le pouvoir soviétique (25-27
octobre 1917). L'institut resta le siège des
Conseils jusqu'à leur transfert à Moscou en
mars 1918. C'est donc de là que les
bolcheviks dirigèrent l'insurrection et la
mise en place du nouveau pouvoir. Les
nombreuses photographies prises en ces
journées révolutionnaires montrent la
façade de l'institut Smolny couverte
d'affiches et d'affichettes. L'un de ces clichés
est un photogramme tiré d'une séquence
d'actualités cinématographiques de l'époque
et ensuite repeint (2). On y a maquillé
d'une façon assez grossière ce qui se trouvait
sur un des piliers de l'entrée. Sur un
photogramme tiré de la même séquence
(photo 3) comme sur la photographie de
Piotr Ozup montrant la façade de l'institut
(photo 1), on distingue un peu mieux les
objets dissimulés.

Il pourrait s'agir, selon les témoins ou les
spécialistes que nous avons consultés,
d'affiches faites à la main et signées de
Trotsky lui-même.

*La photographie de Piotr Ozup a été publiée pour la
première fois dans le livre de John Reed, Dix jours
qui ébranlèrent le monde, Paris 1927. Mais elle
y était elle-même retouchée. Elle figurait à l'exposition Pionniers de la photographie russe soviétique, Musée des arts décoratifs, Paris 1983
(ouvrage portant le même titre, Paris 1983).
La photo retouchée figure dans A. Nenarokov,
1917 en Russie, Moscou, 1977.
L'autre photogramme se trouve dans Chagi sovietov, 1917-1936, Moscou, 1977.*

LA PORTE DE TROTSKY A L'INSTITUT SMOLNY.

21. Красногвардейцы охраняют вход в кабинет В. И. Ленина в Смольном. 1917 г.

■ LA PORTE DE TROTSKY

Cette image publiée dans les premières éditions illustrées du célèbre ouvrage de John Reed « 10 jours qui ébranlèrent le monde », était alors légendée « La porte de Trotsky à l'institut Smolny ». Plus tard, au cours des années trente, plusieurs passages du livre, et en particulier ceux qui faisaient allusion au rôle de Trotsky dans les événements d'Octobre, furent coupés non seulement dans les éditions soviétiques mais aussi dans les éditions publiées en différentes langues par les partis communistes occidentaux. Le portrait photographique de Trotsky, qui figurait dans la première édition illustrée, a bien entendu été lui aussi supprimé. Et la « porte de Trotsky » est devenue la « porte de Lénine » dans le livre de John Reed comme dans beaucoup d'autres livres historiques illustrés. De la même façon, à l'institut Smolny, aujourd'hui musée, on a reconstitué les appartements de Lénine mais on n'y trouve aucune trace des autres bolcheviks qui ont participé aux journées révolutionnaires et qui furent ensuite liquidés par Staline.

Auteur inconnu. Première publication dans John Reed, Dix jours… La légende en russe est tirée de Lénine, sa vie et son œuvre, Moscou, 1985.

Mussolini, chef des images

En mars 1919, Benito Mussolini, ancien militant socialiste, fonde à Milan les *Fasci italiani di combattimento* (faisceaux italiens de combat), groupe qui devait se transformer deux ans plus tard en *Partito nazionale fascista.*
En octobre 1922, c'est la marche sur Rome de 40 000 « chemises noires » à l'issue de laquelle le roi Victor Emmanuel appelle Mussolini au pouvoir.
D'abord Premier ministre, Mussolini, après la crise provoquée en 1925 par l'assassinat du député socialiste Matteoti, établit un pouvoir totalitaire dont il est le « Duce » (chef). Simulacre d'élections, police secrète, bureaucratie, parti de masse, endoctrinement de tous les citoyens dès leur naissance, résidence forcée des opposants, tribunaux d'exception : avant même que le pouvoir soviétique ne soit devenu stalinien, avant qu'Hitler n'ait pris le dessus en Allemagne ou Franco en Espagne, l'Italie donne à l'Europe le modèle de l'État totalitaire moderne.
En 1924, Mussolini fonde l'Unione Cinematografica Educativa (« LUCE », qui signifie aussi « lumière » en italien). C'est l'institut Luce qui produit pendant près de vingt ans à peu près toutes les images de propagande du régime, qu'elles soient cinématographiques, photographiques ou simplement graphiques. Films, photos, cartes postales, calicots, affiches, statues reproduisent à l'infini le portrait du Duce. La retouche est constante : on efface les voisins de Mussolini ou les détails triviaux, on détoure ou on monte les photographies, de façon à leur donner l'impact émotionnel le plus grand. Et le dictateur, qui se déguise facilement et se prête assez volontiers à toutes les mises en scène, à toutes les gesticulations symboliques, devient le modèle des vertus viriles et guerrières de l'Italie fasciste.

■ LA BATAILLE DU BLÉ

Giacomo Acerbo, ministre de l'Agriculture du gouvernement fasciste, annonce en présence du Duce les résultats de « la bataille du blé ». Le fascisme mobilise les travailleurs dans de grandes « batailles » organisées militairement : bataille du blé (1925-1931), bataille de la bonification des terres (à partir de 1928), bataille de la lire, bataille de la natalité…

Tous les membres du gouvernement portent l'uniforme fasciste : la chemise de travail que portaient les travailleurs agricoles d'Emilie-Romagne, mais aussi l'uniforme des *arditi*, les corps francs de la guerre de 14-18 (certains avaient suivi le poète Gabriele d'Annunzio en 1919 lorsqu'il s'empara de la ville de Fiume et y instaura pendant un an un régime annonciateur du fascisme). Sans doute y avait-il en même temps une identification avec les « chemises rouges » de Garibaldi qui, entre 1848 et 1867, avaient joué un rôle de tout premier plan dans l'histoire italienne.

A partir d'une photographie prise au cours de cette cérémonie et montrant le Duce raide, bras croisés, visage sévère, menton dur – une pose qu'il affectionnait –, l'institut Luce compose, en détourant le Duce, un portrait saisissant qui est aussitôt tiré à des millions d'exemplaires sous forme de cartes postales, d'affichettes, d'affiches, d'images pour écoliers sages, de plaques émaillées et, bien entendu, de photographies à encadrer et à accrocher chez soi ou dans les lieux publics.

IL DUCE

1. Auteur inconnu. Vraisemblablement vers 1926-1928.
2. Affiche, photo et carte postale   Institut Luce, années trente.

■ L'ÉPÉE DE L'ISLAM

29 juin 1942. Mussolini, qui vient d'atterrir à Tripoli, monte à cheval et brandit l'épée d'or de l'Islam offerte par les musulmans de Libye. Dans les semaines qui précèdent, les troupes germano-italiennes sous la direction d'Erwin Rommel ont pris Tobrouk et se sont avancées vers l'Egypte. Mussolini se voit déjà au Caire. Mais sur place, il apprend que Rommel, qui vient d'être fait maréchal par Hitler, s'est arrêté à El Alamein. Mussolini passe quelques jours en Libye, puis rentre dépité à Rome. A l'automne, Montgomery reprendra El Alamein et commencera à repousser inexorablement l'*Africa Korps* de Rommel.

Le cliché historique est débarrassé de ses détails contingents, personnage du fond, palefrenier, de façon à présenter le Duce dans son isolement grandiose.

1. *29 juin 1942. Auteur inconnu, diffusé par l'Institut Luce.*
2. *Louise Diel,* Mussolini Mit offenen viser, *1943. Et Giorgio Pini,* Mussolini, l'uomo e l'opera, *1953-1958.*

Mussolini prononce un discours véhément à l'occasion de la Fête du travail fasciste, le 22 avril 1934. La Charte du travail de 1927 a créé un type de système corporatif qui, certes, assure un temps une forme de plein-emploi, mais embrigade les travailleurs bien au-delà de leurs seules heures de travail.

Les photographies prises ce jour-là sont l'objet de diverses manipulations. La silhouette de l'orateur, détourée, est réutilisée sous forme d'affiches, de couvertures de magazines, de cartes postales. Dans une version de l'institut Luce, on fait même du Duce une sorte de statue : on a transformé l'estrade en un piédestal sur lequel est gravée la date de la cérémonie selon le calendrier fasciste.

Une autre image prise le même jour est détourée et retouchée de façon à détacher le Duce du fond et à le débarrasser de la grosse corde qui barre son corps. Ces silhouettes d'un Duce éructant au poing levé, mais isolé des détails triviaux, sont légendées soit simplement « Mussolini orateur » soit d'une façon plus pompeuse « Le forgeron des mots » ou « Le fondateur de l'Empire ». Et parfois des slogans les plus répétés à l'époque, comme « Credere, Obbedire, combattere ! » (Croire, obéir, combattre !) ou « Mussolini a sempre ragione ! » (Mussolini a toujours raison !).

1. 21 avril 1934.
2. Diffusé sous cette forme par l'Institut Luce.
3. Même jour.
4. Publié sous cette forme dans Louise Diel, op. cit.

■ UNE IMAGERIE DÉBORDANTE

Rarement chef d'État aura donné lieu à une telle variété d'images. Mussolini s'est mêlé de tout, s'est montré partout, et chaque fois s'est fait accompagner de photographes. On l'a vu jouer du violon, faire de l'escrime, plonger, tirer à la carabine, moissonner ou forger en public. On l'a vu se déguiser en paysan, ouvrier, pompier, bersagliere, scaphandrier, cavalier, aviateur, motocycliste, marin, mineur, ou en toutes sortes d'autres personnages des corps de métiers qu'il allait visiter. Il n'avait pas peur de s'exhiber torse nu ou en maillot. Du masque à gaz au haut-de-forme, du melon bourgeois au fez fasciste, de la casquette américaine au casque guerrier, les journalistes de l'époque ont essayé – sans y parvenir – de recenser les coiffures successives du Duce. Il est certain que le comportement quelque peu délirant de Mussolini s'est accordé parfaitement aux nécessités de la propagande. Le Duce en modèle du courage guerrier, du travail héroïque, de la virilité italienne, et ses images participent des grands thèmes fascistes : vie en plein air, sports violents, tradition de la Rome antique, etc. Beaucoup de ces photographies sont retouchées afin de leur donner un impact plus violent. Ainsi, dans le traitement d'une photographie montrant le Duce dans sa voiture de course (1), on renforce son regard et on traite le décor par aplats : l'effet pictural dynamise l'image. Ou bien on noie dans l'ombre le visage sévère du Duce (2), de façon à renforcer l'effet inquiétant (à comparer avec ce que fera Hoffmann d'un portrait d'Hitler détouré pour une affiche électorale). En toute logique, les antifascistes italiens détournèrent cette image en gravant par-dessus une grille de prison (3). Le collage de la silhouette du Duce sur un fond noble, ici le Colisée (4), ou, au contraire, son détourage (5) procèdent de la même volonté de sacralisation à l'antique. Parfois le « peintre » se laisse emporter par le lyrisme de son sujet et on dérive fort loin de la photographie (6).

1. Giogio Pini, op. cit.
2. Affiche de 1925 d'après une photographie antérieure.
3. Carte postale antifasciste en réaction contre l'assassinat du député socialiste Matteoti (1925).
4. 1936. Publié sous forme d'affichette.
5. Plusieurs versions, entre autres dans Giorgio Pini, Mussolini, Berlin 1940 et Louise Diel, op. cit.
6. 27 avril 1924. Giorgio Pini, op. cit., 1953-1958.

■ LES DEUX OMBRES DE L'AXE

Une des rencontres entre Mussolini et Hitler, rencontres historiques que la propagande des deux pays exploita intensivement pour renforcer l'axe Berlin-Rome. Sans toujours se rendre compte de l'aspect parfois grotesque que pouvait prendre ce couple de militaires chamarrés, aspect que souligne si bien Charles Chaplin dans son film *Le Dictateur* (1940).
De cet habile contre-jour, on a tiré des versions plus sombres, jusqu'à obtenir un jeu d'ombres chinoises, de façon à accentuer le côté dramatique du tête-à-tête.

1. Photographie vraisemblablement prise lors de la conférence de Munich de septembre 1938.
2. Diffusé sous forme de carte postale.

58

■ DU FUTURISME
AU PHOTOMONTAGE

Le mouvement futuriste né avant la
Première Guerre mondiale et qui se
développa essentiellement en Italie du
Nord, avait mis au premier plan de ses
intérêts le document social, la civilisation
urbaine, la machine. Son idéologie anti-
bourgeoise était cependant très nationaliste,
interventionniste (guerre de Libye, 1911) et
sa mystique de l'action, de la force, de
l'héroïsme, voire même de l'agressivité finit
par déboucher sur une glorification de la
guerre « seule hygiène du monde ». C'est
dire combien la seconde vague du
mouvement devait s'entendre avec le
fascisme, au point de devenir une sorte d'art
officiel du régime (manifeste *Futurisme et
fascisme*, 1924).

Une des grandes spécialités du mouvement
fut le photomontage. A la même époque,
en URSS avec le constructivisme, ou en
Allemagne avec John Heartfield, Lazlo
Moholy-Nagy ou le mouvement Dada, le
photomontage connaît une grande vogue,
favorisé par le brusque développement des
magazines illustrés après la Première Guerre
mondiale. Les photomontages italiens
exaltent la machine, les avions, les trains,
les grands navires, les métropoles et les
gratte-ciel. L'accumulation d'épreuves sur le
même support apporte à peu de frais aux
services de propagande les images de
l'abondance (fruits, céréales, moteurs,
usines), de la fécondité (nourrices, enfants)
ou de la force (gymnastes, soldats, chars,
avions). Devenu une des principales formes
de propagande par l'image, le
photomontage produit aussi bien des
compositions où s'associent la Rome
moderne et l'antique (1), que de terrifiants
assemblages d'un Mussolini démultiplié à
l'infini (2).

1. *« Les légions des mutilés défilent sur la nouvelle
route de l'Empire. » L'Italie fasciste, Rome, 1932.
Le montage accole au moins quatre éléments :
l'arcade, le forum, le défilé et les avions.*
2. *Photomontage de 1936, sans nom d'auteur.*

Mises en scène du Troisième Reich

Avec le IIIe Reich (1933-1945), la manipulation des images est élevée au rang d'art étatique. Aux mises en scène gigantesques élaborées par Albert Speer, l'architecte du régime, où drapeaux, oriflammes, flambeaux, colonnades immenses, sculptent les masses d'hommes en uniforme, s'accordent les affiches colorées, brutales, persuasives et innombrables du ministre de la Propagande Joseph Goebbels et les nuées de photographies du Führer diffusées jour après jour par son photographe officiel Heinrich Hoffmann.
La photographie et le cinéma sont utilisés systématiquement comme instruments de propagande et participent aussi bien à l'élaboration des mythes racistes qu'à la glorification des dirigeants du parti et de l'armée, aussi bien aux campagnes de retour à la terre ou de lutte pour l'espace vital qu'à l'attaque contre les ennemis de l'intérieur ou de l'extérieur. La retouche photographique est utilisée à peu près aussi abondamment qu'en Union soviétique à la même époque, mais il s'agit moins de remodeler une histoire encore récente (on préfère supprimer les photographies de personnages gênants) que de faire coïncider les images avec l'utopie politique : les camps de concentration sont présentés dès 1933 comme des sortes d'agréables camps de vacances et de travail ; les ghettos juifs d'Europe sont montrés, dans de grands reportages de type ethnographique, comme des enclaves de l'oisiveté, du vice et des maladies contagieuses ; et on expose à longueur de magazines les images de jeunes Allemands « aryens » armés de pelles, de soldats parfaitement disciplinés, de bébés élevés dans l'amour du Führer, ou de mères allemandes appelées à perpétuer la « race des seigneurs ».
Pendant la Seconde Guerre mondiale, la propagande n'aura plus aucune limite, même dans le domaine des images : fausses séquences d'actualités, fausses scènes de guerre, faux paysages, faux héros sont là pour renforcer les campagnes de rumeurs et la terreur instaurée sur toute l'Europe par l'ordre nazi. Ou encore pour camoufler soigneusement le terrifiant secret de la « solution finale ».

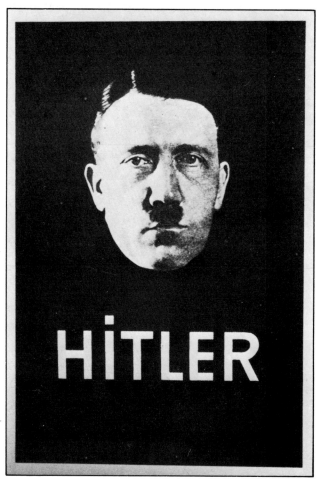

■ UN PHOTOGRAPHE AU SERVICE DU FÜHRER

L'imagerie hitlérienne doit tout à un homme, Heinrich Hoffmann (1885-1957) qui, dès 1919, s'attacha à Hitler à Munich et vécut jusqu'au bout dans son entourage. Entré dans le parti nazi pour y faire un reportage commandité par le groupe de presse américain Hearst, Hoffmann devient l'ami d'Adolf Hitler qui lui donne dès 1933 des droits exclusifs sur son image et le nomme même membre du Reichstag. Il fonde une agence par laquelle devront passer tous les journaux : son sens des affaires et son hégémonie sur les images du régime lui permettent d'accumuler en quelques années une immense fortune. Hoffmann a édité une grande quantité d'albums de propagande, centrés essentiellement sur la personne du Führer. Il a assuré pendant tout le IIIᵉ Reich la diffusion des photographies du Führer ou au contraire leur mise à l'écart, a été responsable aussi bien des images utilisées pour des photomontages (photo 1), que des portraits choisis et arrangés pour des affiches électorales à l'effet particulièrement recherché (photo 2), ou encore des photographies de simple propagande souvent très retouchées (photos 3 et 4). Arrêté après la guerre, condamné à 10 ans de réclusion, peine ramenée ensuite à cinq ans, Hoffmann fut en fin de compte rayé de la liste des criminels de guerre et considéré comme un exécutant de second plan. Une partie de ses archives avait été saisie par les Américains et transférée à Washington. Distribuées alors librement, la plupart de ses photographies ont été reprises et diffusées dans le monde entier par de grandes agences de presse et continuent à l'être, malgré un procès intenté et gagné par le fils et héritier, Heinrich Hoffmann.

1. Affiche géante sur la façade de l'immeuble du journal Der Angriff *(L'attaque), le journal de Goebbels. Le slogan déclare « Le peuple se lève, l'heure a sonné. Votez liste 1 ». Berlin, juillet 1932.*
2. Affiche électorale, juillet 1932.
3 et 4. Extrait de l'album Jugend und Hitler *(La jeunesse et Hitler), Munich, 1935.*

■ LE PUTSCHISTE EN PRISON

Cette photographie, montrant Hitler en compagnie du général Erich Ludendorf, est un montage composé en 1924 par Heinrich Hoffmann. La silhouette d'Adolf Hitler a été empruntée à un cliché pris par Hoffmann au cours du putsch de Munich (7-9 novembre 1923).

Bien qu'ils aient été tous les deux responsables et participants actifs du putsch, il n'existait pas de bonne photographie montrant ensemble Hitler et le général en uniforme. Les deux hommes s'étaient d'ailleurs éloignés rapidement l'un de l'autre (Ludendorf fondera son propre groupe nationaliste, antisémite et antimaçonnique, le *Tannenberg bund*). Mais en cette année 1924, Hitler, condamné à la prison et politiquement isolé, ne pouvait se permettre d'afficher des divergences avec le héros de la Grande Guerre.

Le montage, accolant étroitement les deux personnages, peut donc aussi être lu comme une sorte de chantage vis à vis de Ludendorf : une façon de lui rappeler que, si son prestige de héros de la Grande Guerre lui a permis d'échapper à la prison, il a des responsabilités envers le mouvement nationaliste allemand. Cette « photographie » est la plupart du temps légendée « Août 1924 », une date manifestement impossible puisqu'à cette époque précise, Hitler est enfermé dans la forteresse de Landsberg et Ludendorf en liberté.

1. Novembre 1923.
2. Montage diffusé au cours de l'été 1924.

64

■ LE MARÉCHAL ET LE CAPORAL

Cette photographie montre Hitler avec le maréchal Paul von Hindenburg. Elle a été prise en novembre 1932, au moment où von Hindenburg, président du Reich, consulte Adolf Hitler après la démission du cabinet von Papen.
L'année suivante, Hitler devenu chancelier, cette même photographie sert de base à une affiche électorale. On a retouché les deux silhouettes. On a en particulier mis vareuse et capote militaire à Hitler et redessiné les deux visages trop écrasés par l'éclair du flash au magnésium. Et surtout on a rapproché considérablement les deux hommes. L'attitude figée du futur Führer sur la photo originale et la distance respectueuse qu'il observait à l'égard du vieux militaire, disparaissent sur l'affiche. Hitler apparaît maintenant comme l'égal politique du maréchal, mais cependant encore légèrement en retrait comme l'exige son grade militaire. Le texte allemand déclare : « Le maréchal et le caporal combattent avec nous pour la liberté et l'égalité ». Mais cette affiche, qui n'est pas présentée comme un document authentique (elle est signée « Montage Bauer, Munich ») a aussi une fonction de chantage en liant étroitement à Hitler le vieux maréchal qui n'avait que peu de sympathie pour celui qu'il surnommait « le caporal bohémien ».

1. Vraisemblablement le 19 novembre 1932.
2. Affiche de 1933.

65

■ PORTRAIT D'UN CHEF

Pour l'affiche sous-titrée *Ein volk, ein Reich, ein Führer*, fabriquée sur les directives de Goebbels, sans doute en 1938, et très largement diffusée dans toute l'Allemagne, on est parti d'une photographie plus ancienne d'Heinrich Hoffmann, montrant Adolf Hitler debout et s'appuyant au dossier d'une chaise cloutée. Il est vêtu d'une vareuse croisée à boutons métalliques et porte au bras gauche un brassard sombre ; sur la poitrine la croix de fer et deux autres décorations. Le regard sévère dirigé vers l'horizon, les ombres du visage (l'éclairage, horizontal, vient de droite), le col et la cravate sur laquelle est accroché un petit insigne ont été exactement conservés dans la version de 1938. Mais le dossier de la chaise, trop important dans la version photographique a été repoussé. Hitler ne s'y appuie plus que de l'avant-bras gauche. Le poing droit est ramené sur la hanche – signe de volonté, d'autorité – et il est fermé, ce qu'on ne voit pratiquement jamais dans le portrait de chevalet classique, de Velasquez à Franz Hals. La chaise a été en quelque sorte « annoblie » : les clous sont plus gros, plus espacés, ciselés. Par adjonction de poches à rabats et grâce à une coloration kaki, la vareuse est plus nettement désignée comme militaire. Sur le brassard, rouge-sang, on voit le début du rond blanc dans lequel s'amorce la croix gammée. Enfin l'artiste inconnu a détaché la silhouette de son fond et lui a donné une résonance étrange et même quelque peu inquiétante grâce à un halo rouge, de la même teinte que celle du brassard, autour du cou d'Hitler. La nouvelle pose et le traitement pictural rappellent les portraits de condottiere, de doges ou d'empereurs et s'accordent avec la devise « un peuple, un empire, un chef ».

Une autre version de cette composition a été éditée avec, pour seule légende, le mot *Ja !* (oui !). Le visage du Führer a aussi illustré un timbre-poste émis en 1937.

En 1943, en pleine guerre, le même thème est repris avec le même visage farouche mais un traitement différent de la vareuse, des mains et de la chaise, et la légende : « Adolf Hitler est la victoire ! »

Le premier album photographique sur Hitler, *Hitler Wie ihn Keiner Kennt* (« Hitler cet inconnu ») a été publié en 1932 par Heinrich Hoffmann. Il rassemblait une centaine de photographies montrant Hitler bébé, Hitler militaire, Hitler au cours d'un pique-nique, etc. L'imagerie était destinée à illustrer la vie de l'homme politique.

Le 30 janvier 1933, Hitler est nommé chancelier du Reich. Le 30 juin 1934, au cours de la « nuit des longs couteaux », il fait tuer Ernst Röhm et les autres chefs de la S.A. Dans la seconde édition du livre d'Hoffmann qui paraît cette année-là, une photographie a disparu : celle où l'on voyait Hitler discuter cordialement avec Röhm. Goebbels fit disparaître tous les clichés où l'on voyait Hitler avec Röhm ou les principaux chefs des S.A. On fit même détruire le film de Leni Riefensthal, *Sieg des glaubens* (Victoire de l'espoir), consacré au congrès du parti nazi de 1933 et qui montrait, aux côtés de Hitler, tous ceux qui allaient être ensuite assassinés.

Plus tard, Hitler demanda que *Hitler cet inconnu* soit retiré de la circulation et ne soit pas réédité. Les images du bébé Adolf, du caporal blessé aux yeux ou bien faisant la fête avec ses copains de régiment (2), de l'homme mûr en culotte courte (1), ou les petits jeux insolites de son photographe (4), ne lui paraissaient pas compatibles avec la dignité d'un chef d'Etat qui faisait trembler le monde.

Afin d'étudier ses poses et ses mimiques au cours de ses discours, Hitler avait fait prendre par Hoffmann toute une série de clichés. Mais il lui avait interdit de les diffuser et lui avait demandé d'en détruire les négatifs (3). Hoffmann n'a publié ces images qu'après la Seconde Guerre mondiale, en 1950.

1. *Datée de 1925.*
2. *Auteur inconnu ; sans doute prise en 1918. Extrait de Hitler wie ihn keiner kennt (1932 et 1934).*
3. *Date inconnue, vraisemblablement 1933.*
4. *Hitler wie ihn keiner kennt (1932 et 1934).*

■ GOEBBELS
DANS LES FEUILLAGES

La scène a été enregistrée en 1937 par Heinrich Hoffmann. Dans le parc de la Chancellerie du Reich, à Berlin, Hitler converse avec l'actrice Leni Riefenstahl, devenue la cinéaste du régime nazi, et avec Joseph Goebbels, ministre de la propagande.

Dans les archives Hoffmann, bien après la guerre, on devait retrouver une seconde version de cette photographie : Goebbels s'était évanoui dans l'herbe et les feuillages. Le Führer était très lié à Leni Riefenstahl qu'il avait connue en 1932 : la presse internationale avait fait de l'actrice une

sorte d'éminence grise d'Adolf Hitler, voire une « fiancée » potentielle. Mais durant un moment la rumeur publique fit aussi de Goebbels l'amant de Riefenstahl. Est-ce lors d'un accès de jalousie, ou par une sorte de sursaut moral qu'Hitler demanda à Hoffmann d'effacer Goebbels ? On ne le saura sans doute jamais. Et d'ailleurs, il ne semble pas que cette photographie retouchée, due au seul caprice du Führer, ait jamais été publiée à l'époque.

> 1. De gauche à droite : Heinz Riefenstahl (frère de Leni), le Dr Ebersberg, Leni Riefenstahl, Hitler, Joseph Goebbels et Ilse Riefenstahl (belle-sœur de Leni). Date exacte inconnue (été 1937).

■ LE MÉGOT DU PACTE

23 août 1939. Joachim von Ribbentrop, ministre des Affaires étrangères du IIIᵉ Reich, serre la main de Joseph Staline, chef de l'Union soviétique, avec lequel il vient de signer le pacte de non-agression. Les mains libres, Hitler, à peine quelques jours plus tard, ordonne l'invasion de la Pologne, déclenchant ainsi la première phase de la Seconde Guerre mondiale. Lorsqu'il reçut le lendemain les photographies prises par Hoffmann lors de la signature du pacte, Hitler les étudia très attentivement. Il voulait en particulier vérifier si son grand et nouvel allié Staline n'était pas juif, c'est-à-dire, selon une croyance raciste naïve en vogue à l'époque, s'il n'avait pas le lobe de l'oreille soudé. Rassuré sur ce point, Hitler, qui était végétarien et très opposé au tabac, fut cependant fort fâché de voir que Staline n'avait pas cessé de fumer pendant toute la cérémonie. « La signature d'un traité est un acte solennel qu'on n'aborde pas avec un mégot collé aux lèvres », déclara-t-il à Hoffmann et il lui demanda d'effacer les mégots de Staline avant de donner les photographies à la presse. Hoffmann refit aussitôt le fond du cliché montrant la poignée de mains historique et il en profita pour y noyer l'irritant mégot.

1. *Version exportée par Hoffmann :* L'Illustration, *nᵒ 5035, 2 septembre 1939.*
2. *Version retouchée :* Berliner Illustrirte Zeitung, *nᵒ 35, 31 août 1939.*

Parmi les héros que se donna le mouvement nazi, Horst Wessel est certainement celui dont la légende fut la plus mensongère. Né en 1907, étudiant en droit, il était entré à la S.A. dont il devint un chef très combattif (2). Il avait écrit un poème « Haut le drapeau… » que publia *Der Angriff* et qui fut ensuite plaqué sur la musique d'une chanson viennoise, devenant ainsi le fameux « Horst Wessel lied ». Il s'était épris d'une prostituée avec qui il vivait en 1930 lorsque leur logeuse voulant les expulser, leur envoya un autre mauvais garçon, Ali Höhler qui abattit Wessel (3). Pendant que le jeune homme agonisait à l'hôpital, Joseph Goebbels monta une fantastique opération de propagande et fit d'un minable petit proxénète « un Christ du socialisme » et de son assassin, un communiste. Les obsèques furent grandioses, le cortège eut même droit à une « attaque des rouges ». Goebbels, au bord de la tombe, appela « Horst Wessel ! » et les S.A. répondirent « Présent ! » sous une grêle de cailloux communistes.

Trois ans plus tard, les nazis étant désormais au pouvoir, était solennement projeté à Berlin un film à la gloire de Horst Wessel dont le titre définitif sera en fait « *Hans Westmar* ». Adapté par le réalisateur Franz Wenzler d'un ouvrage de Hanns Heinz Ewers, et contenant des scènes de foule jouées par les S.A. eux-mêmes, ce film de fiction a contribué au mythe. A tel point que les historiens nazis, racontant la prise de pouvoir à Berlin, s'en servirent pour illustrer des épisodes de ce combat. Les photos de film présentent évidemment des angles de prise de vue et des cadrages bien meilleurs que les photos de presse. C'est le cas de cette image des obsèques (1) directement tirée du film mais dont la légende affirme qu'il s'agit d'une attaque du cortège funèbre de Horst Wessel par les communistes.

Kommunisten überfallen Horst Wessels Leichenzug

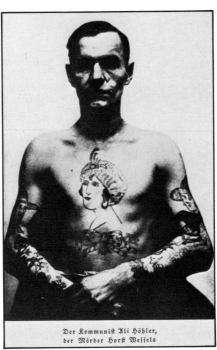

Der Kommunist Ali Höhler,
der Mörder Horst Wessels

1. *Photo de tournage du film* Hans Westmar, *Berlin, 1933. Repris avec la légende « Les communistes attaquent le cortège funèbre de Horst Wessel », dans l'ouvrage de N. Bade,* Die S.A. erobert Berlin (*La S.A. conquiert Berlin), Berlin, 1937.*
2. *Origine inconnue.*
3. *Même ouvrage de N. Bade, avec pour légende « Le communiste Ali Höhler, assassin de Horst Wessel ».*

■ CHURCHILL
VU PAR LES ALLEMANDS

Une affiche de propagande nazie datée de 1941 montre Winston Churchill en chapeau melon haut, nœud papillon, costume sombre rayé, un gros cigare à la lippe et une mitraillette sous le bras. Il est posté derrière un mur et l'affiche dit simplement « Heckenschützen » ce qu'on peut traduire par « franc-tireur ». La situation est étrange et pourtant il s'agit indiscutablement d'une photographie. Or, l'auteur n'a pas eu besoin de coller une tête de Churchill sur un corps de gangster : il est tout simplement parti d'une photographie d'agence montrant le Premier ministre britannique manipulant une mitraillette au cours de la visite d'une base militaire. Il a découpé sa silhouette, a incliné davantage la tête du personnage pour le rendre plus vulgaire et a replacé le tout dans un nouveau décor très simple, un aplat noir évoquant un mur. Une autre version de cette image retouchée et détourée a été aussi diffusée sous forme de tracts jetés au-dessus de l'Angleterre par les avions allemands. Ce photomontage a cependant un caractère assez particulier. Personne, même parmi les plus naïfs de ceux à qui s'adressait une telle affiche, n'a imaginé un instant que le Premier ministre britannique faisait le coup de feu avec des francs-tireurs. Même si dans ce cas, on est bien parti d'une situation réelle, la scène montrée est invraisemblable. Et elle est lue comme telle par tous ceux qui voient l'affiche, mais qui, en revanche, déchiffrent instantanément le message implicite qu'elle véhicule : Churchill est un ennemi rusé, fourbe et dangereux (« Ce n'est même pas un gentleman » disait de lui Hitler). Il faut noter que la photographie originale elle-même a servi dans la presse britannique d'image de propagande en véhiculant un message exactement inverse (le Premier ministre s'intéresse à toute contribution à l'effort de guerre).

1. Churchill inspectant les défenses de la côte nord-est, juillet 1940.
2. Affiche allemande, 1941.

■ « LE FÜHRER OFFRE UNE VILLE AUX JUIFS »

En 1944, l'office de propagande du Reich décida de réaliser un film destiné à contrecarrer les informations qui circulaient sur les camps de concentration et à influencer les commissions de la Croix-Rouge internationale. Le tournage fut entièrement préparé et réalisé au camp de concentration de Terezin, en Tchécoslovaquie (appelé par les Allemands Theresienstadt), par des détenus juifs sous contrôle des SS. La responsabilité de la réalisation fut confiée à Kurt Gerron, un acteur allemand assez réputé, qui avait été arrêté en Hollande par la Gestapo et était détenu à Terezin. Le tournage dura du 16 août au 11 septembre 1944 et mobilisa plusieurs centaines d'acteurs, de décorateurs, de musiciens, et plusieurs milliers de figurants (il y avait à l'époque 60 000 détenus à Terezin). Gerron dut écrire un véritable script et tourna très professionnellement, assisté par des opérateurs et des techniciens tchèques et disposant de moyens très importants. Dans le film, on voyait des scènes filmées à l'intérieur d'un café, montées en parallèle avec des scènes de guerre de tranchées et le commentaire rédigé plus tard par les Allemands disait : « Pendant qu'à Theresienstadt, les Juifs prennent le café et dansent, nos soldats supportent tout le poids d'une guerre effroyable, de la détresse et des privations pour défendre la patrie. » On voyait des détenus jouer au football, jardiner, moissonner un champ de blé, prendre des douches, visiter des bibliothèques bien fournies, aller chercher de gros paquets à la poste. On voyait des hommes travailler calmement dans des ateliers spacieux et bien éclairés, des femmes s'occuper des enfants dans des chambres fleuries. On voyait la « maison commune » où se tenait le « Conseil des anciens », un opéra pour enfants, un concert symphonique dirigé par Karel Ancel (rescapé d'Auschwitz, il sera plus tard le chef de l'Orchestre philharmonique tchèque). On voyait les Juifs s'attarder au magasin d'habillement, jouer aux échecs, lire dans des chaises longues, plonger dans une piscine aménagée sur la rivière voisine. On voyait des petits enfants jouer dans un jardin tandis que des nurses leur découpaient en tranches des miches de pain. On voyait, dans un dortoir joliment aménagé des jeunes filles se coiffer, se regarder dans un miroir et bavarder. On voyait à la bibliothèque deux professeurs discuter d'un livre et, à la banque, un client présenter son livret d'épargne pour retirer de l'argent, tandis que la secrétaire du directeur lui passait son courrier à signer. On voyait des pompiers efficaces éteindre un début d'incendie. On voyait les détenus du camp finir la journée au cabaret devant des numéros, parodie de Charlot, prestidigitateur, danse espagnole, et reprenant en chœur des refrains de *L'Opéra de Quat'sous*.

Cabaret, maison commune, chambres fleuries, ateliers, poste, banque, bibliothèque n'étaient que des décors construits par les détenus du camp au cours de l'été 1944. Certains de ces décors avaient été conçus aussi bien pour le film que pour les visites de la Croix-Rouge. Les paquets de la poste étaient repris aussitôt après avoir été distribués. On avait allumé de faux feux pour de faux pompiers. On avait fait venir un champion de plongeon tchèque pour faire des démonstrations à la piscine habituellement réservée aux SS. Comme parmi les détenus juifs, il y avait beaucoup de femmes blondes, on les avait bannies du tournage afin qu'on ne voie sur les images du camp que des chevelures foncées... Et dès que les prises de vues furent terminées, tous ceux qui avaient joué ou figuré dans ce film furent envoyés à Auschwitz en onze convois. Kurt Gerron lui-même fut gazé mais, au dernier moment, il avait confié à un ami ses papiers, ses notes de tournage et sa correspondance avec les autorités du camp ou les acteurs. Toutes les personnalités juives qui apparaissaient dans le film – le compositeur Haas, le général von Hânisch, d'anciens ministres tchèques, allemands ou français, des professeurs d'université, des acteurs, des directeurs de théâtre, etc. – furent aussi envoyées à Auschwitz. La plupart furent gazées. Les 1 600 enfants qui avaient figuré dans les scènes du film firent partie des derniers convois et furent tous exterminés.

En 1945, les représentants de la Croix-Rouge internationale revinrent visiter Terezin et les SS leur projetèrent le film de Gerron, qui, entre-temps, avait été monté à Berlin, postsynchronisé et assorti de commentaires. Titre : *So schön war es in Terezin* (C'était si beau à Terezin). Sous-titre : « *Der Führer schenkt den Juden eine stadt* » (Le Führer donne une ville aux Juifs). Des fragments furent montrés aux actualités allemandes peu de temps avant la fin de la guerre. On n'a retrouvé à ce jour que vingt-cinq minutes de la version intégrale du film, mais le script de Gerron et le dossier de tournage sont conservés aux archives de la République fédérale d'Allemagne.

Photogrammes extraits des fragments du film conservé aux archives de Coblence.

■ SCÈNE DE RUE SOUS L'OCCUPATION

Une séquence des Actualités françaises de juin 1944, relayée par un lot de photos de presse, montre une colonne de prisonniers anglais et américains qui passe dans une rue de Paris, encadrée par des soldats allemands et qu'une petite foule de badauds haineux prend à partie, insulte et couvre de crachats. L'officier nazi ayant en charge la colonne doit même s'interposer et les soldats repousser à coups de crosse les Français surexcités. La séquence était destinée à prolonger la campagne d'affiches, de rumeurs, de faux bilans lancée à la suite du débarquement de Normandie et des bombardements anglais et américains. Montrée telle quelle aujourd'hui — et elle est souvent reprise sans aucun commentaire critique dans des films de montage ou des documentaires historiques —, elle suscite encore, des dizaines d'années après ces incidents, un très profond malaise. Et on pourrait en effet la croire authentique si différents témoignages (le journal d'Ernst Jünger en date du 2 juillet 1944, celui de Jean Guéhenno en date du 5 juillet, entre autres) ne nous avaient expliqué qu'il s'agissait là d'une mise en scène du bureau de propagande. Les Allemands avaient embauché des voyous pour figurer la foule parisienne, un colonel allemand, en civil, les surveillait, et les organisateurs les avaient même munis de valises pour donner l'impression qu'ils passaient là par le plus grand des hasards. Des photographes et des cinéastes se trouvaient là eux aussi « par hasard ». Jünger – naïf ou hypocrite ? – commente : « C'est quand même étonnant de voir où en sont arrivés les Prussiens qui s'étaient toujours refusés à de telles choses. »

Photographies réalisées le 29 juin 1944. Auteur inconnu. Elles n'ont pas paru dans la presse française mais ont donné lieu à diverses publications dans la presse allemande. Par contre la séquence des Actualités françaises a bien été diffusée. On en retrouve un fragment dans Français, si vous saviez, d'André Harris et Alain de Sédouy (1972).

Icônes du culte stalinien

La *Pravda* (en russe, « Vérité ») du 21 décembre 1929 fête le cinquantième anniversaire de Jossif Vissarionovitch Djougatchvili, un bolchevik géorgien qui s'est donné le nom de guerre de Staline (« l'homme d'acier ») et qui, sept ans auparavant, a été élu secrétaire général du parti communiste, c'est-à-dire pratiquement chef de l'État soviétique. Gros titres et portraits gigantesques sont le pendant des compliments dithyrambiques décernés à longueur de colonnes. On trouve déjà là l'expression d'un phénomène de soumission et d'admiration collectives qui paraît pourtant presque modeste si on le compare à ce qui viendra au cours des années ultérieures.

Superlatifs, louanges hyperboliques, slogans ressassés, formules toutes faites forment un ensemble linguistique étrange, rappelant les excès de l'adoration et des litanies religieuses, mais n'ayant plus aucune commune mesure avec tout ce qu'on a pu connaître jusqu'alors dans l'histoire : certaines brochures, certains livres connaissent des premiers tirages de 500 000 exemplaires et les manifestations d'enthousiasme et d'adulation touchent des millions de personnes.

De même, la vie du « Père des peuples » est entièrement réinventée. On crée au besoin tous les faux documents historiques nécessaires à la fable. On fabrique des photographies et on les reproduit en série. Le visage du dictateur est présent partout, dans les bureaux des fonctionnaires comme dans la plus modeste isba. Le respect servile, la vénération mélodramatique de ces nouvelles icônes atteindra les sommets du grotesque. Et l'on verra des Russes condamnés à cinq ans de camp de travail pour avoir déchiré par mégarde des pages de journaux où figuraient des portraits de Staline.

Les photographies historiques qui circulent sont presque toutes retouchées. L'image de propagande, sous Staline, devient une véritable industrie. Et les clichés montrant les grands travaux ou la conquête industrielle, cachent le plus grand réseau de bagnes qu'aucune civilisation ait jamais inventé.

Lorsqu'au début des années trente commence à s'instaurer ce qu'on appellera plus tard le « culte de la personnalité », peu de gens connaissent le passé de Staline. Et tous les proches du dictateur témoins de ses aventures révolutionnaires ou de sa vie privée mourront de mort violente : Nadia Alliloueva, sa femme (suicidée en 1932), Kirov, son « frère bien-aimé » (assassiné mystérieusement en 1934), Iénoukidjé, son ami depuis 1900 (exécuté en 1937), Mdivani, vieil ami géorgien (exécuté en 1937), Ordjonikidzé sans doute son meilleur ami (exécuté ou poussé au suicide en 1937). Il semble bien qu'il n'existait aucune photographie, aucun « album de famille » témoignant des premières années de Staline. Aussi les illustrateurs, partant des deux ou trois photographies connues (l'entrée au séminaire, la photo de la fiche de police…), réinventent des portraits de Staline à différents âges. Ces portraits sont peints, en imitant le mieux possible la texture de la photographie ou, parfois, ils sont composés à partir de vraies photographies. Ils ont été multipliés à l'infini, avec tout un ensemble de petites variantes et ont été aussi souvent peints de couleurs vives dans le style des images naïves populaires.

1. *Staline à l'entrée au séminaire de Gori, 1894.* Staline en images, *Paris, 1950.*
2. *Staline en 1905,* op. cit.
3. *Staline en 1910 (« photographie » inspirée de la fiche de la police tsariste, publiée après 1920).* Staline en images, *1950.*
4. *Staline en 1924 à la XIIIe conférence du parti,* op. cit.
5. *Staline en février 1934 (portrait repeint, détail d'une photographie de groupe),* op. cit.
6. *Couverture de revue à la mort de Staline (*Ogoniok, *15 mars 1953).*

■ LE SUCCESSEUR DE LÉNINE

Jusqu'en 1924, Staline est pratiquement inconnu en dehors du groupe des bolcheviks. Lénine, avant de mourir, a mis en garde ses proches contre les tendances autoritaires et la brutalité de Staline. Mais peu à peu, alors que s'accroît son ascendant, qu'il évince Trotsky, puis qu'il finit par régner en maître absolu, des articles, des brochures et même des faux documents remodèlent la vie de Staline. On lui invente des mots historiques et des batailles décisives. On en fait un proche collaborateur de Lénine, et même son principal inspirateur.

Les trois ou quatre rares photographies où figuraient ensemble les deux hommes et les deux photographies prises à Gorki où on les voit côte à côte ne suffisant évidemment pas, on en fabrique d'autres. Elles sont plus ou moins bien élaborées (voir « Staline rend visite à Lénine »). Mais ce sont aussi souvent de simples photomontages accolant les deux visages et marquant de façon radicale la légitimité révolutionnaire du nouveau despote. Dans le premier brouillon de la *Biographie abrégée* de 1948, figurait la phrase suivante : « Staline est le Lénine d'aujourd'hui. » Staline, rapporte Nikita Khrouchtchev dans son fameux rapport secret (1956), corrigea de sa propre main : « Staline est le digne continuateur de l'œuvre de Lénine, ou, comme on le dit dans notre parti, Staline est le Lénine d'aujourd'hui. »

1. *Photomontage diffusé par l'agence Tass, fin des années trente.*
2. *Page de l'URSS en construction, nº 6, juin 1934.*

L'ACCUEIL

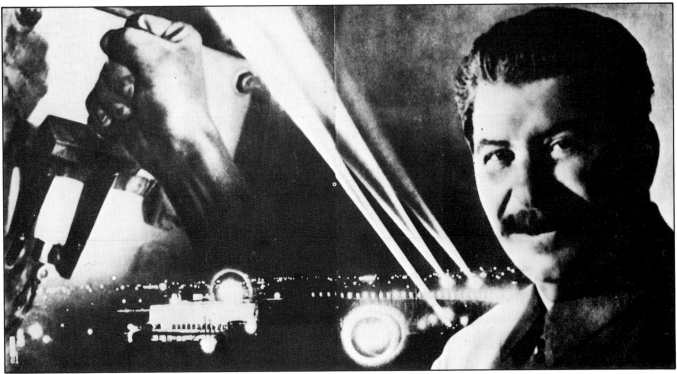

■ PHOTOMONTAGE ET CULTE DE LA PERSONNALITÉ

En Union soviétique entre 1920 et 1930, le photomontage connaît un essor extraordinaire. Des artistes comme Alexandre Rodtchenko, Lazare Lissitzky ou Gustave Kloutsis inventent de nouvelles formes de mise en page et d'expression photographique. Ils sont en contact avec les courants artistiques qui, en Allemagne, mènent les mêmes recherches. Leurs affiches, leurs couvertures de livres et leurs illustrations créent un style très caractéristique qui aura une grande influence sur les autres courants artistiques européens. La collaboration entre Maïakovski et Lissitzky pour des recueils de poésie, ou le travail de Rodtchenko dans le cadre de la revue *Lef*, devenue ensuite *Novy Lef*, sont restés célèbres.

L'explosion artistique des années vingt en URSS est vite retombée. Accusés de « formalisme » (c'est-à-dire en fait d'anti-marxisme) en 1928, les « constructivistes » se rangent peu à peu. On les retrouve dans une revue internationale de propagande comme *L'URSS en construction*. Ainsi Lissitzky et Rodtchenko mettent leur talent au service de montages de plus en plus académiques au milieu desquels l'image de Staline finit par prendre la première place. La hardiesse des perspectives contradictoires dans un collage comme « L'accueil » n'efface pas le côté officiel et pompier de la composition : Staline « lui-même » a veillé à ce que les recherches soient effectuées pour retrouver les membres de l'expédition polaire du *Tcheliouskine*, naufragés, perdus sur la banquise et ramenés par des aviateurs ; et il les accueille solennellement (1). Chaque fois qu'une victoire industrielle est obtenue, elle est due à la clairvoyance de Staline : aussi est-il logique d'associer la mise en marche du barrage géant du Dnieprostroï au visage souriant du chef. Lénine n'a-t-il pas dit en 1920 : « Le communisme, c'est le pouvoir des soviets plus l'électrification de tout le pays » ? (2).

1. *Accueil de l'expédition du Tcheliouskine. Photomontage d'El Lissitsky,* L'URSS en construction, *n° 10, octobre 1934.*
2. *« Le courant est donné »,* L'URSS en construction, *novembre 1932. Photomontage d'El Lissitsky.*

■ UNE PETITE FILLE DANS LA « PRAVDA »

Tous les dictateurs aiment se faire photographier entourés d'enfants. On connaît ainsi d'innombrables portraits de Staline riant ou jouant avec des petits garçons ou des petites filles, au milieu de tribunes fleuries ou de kolkhozes en fête. Ces images ordinaires de la propagande cachent parfois de terribles histoires ainsi qu'en témoigne ce commentaire paru dans une revue clandestine du « samizdat » à Moscou en 1976.

« Staline tient dans ses bras une fillette aux yeux noirs, vêtue d'un costume marin : tous ceux qui ont connu les années trente se souviennent de cette photographie. Mais qui est cette petite fille et quel a été son destin ? Bien peu le savent.

Cet enfant, c'est Guelia Markizova, la fille d'Ardan Angadykovitch Markizov, commissaire du peuple à l'Agriculture de la République socialiste soviétique autonome bouriato-mongole.

Le cliché fut pris le 27 janvier 1936 lors de "la réception organisée au Kremlin par les dirigeants du parti et du gouvernement en l'honneur des travailleurs de la République autonome bouriato-mongole". Soixante-sept délégués de cette République étaient présents, avec, en tête, le secrétaire du comité régional du parti, M.N. Erbanov, le président du conseil des commissaires du peuple de Bouriato-Mongolie, D.D. Dorjiev et le président du comité central exécutif de la république, I.D. Dampilov. Le père de Guelia était là, parmi eux, et il fut décoré ce jour-là de l'ordre du Travail du Drapeau rouge.

Au cours de cette réunion solennelle, la petite Guelia, âgée de six ans, alla porter un bouquet de fleurs à Staline. Staline la prit dans ses bras : c'est cet instant qui fut fixé sur pellicule. La photographie, reproduite un nombre astronomique de fois, a ensuite servi de modèle pour d'innombrables tableaux, devenus eux-mêmes un attribut presque indispensable des établissements pour enfants – écoles, jardins d'enfants, palais des pionniers, homes d'enfants. Cette photographie est devenue le symbole officiel de l'enfance heureuse des petits Soviétiques "réchauffés par le sourire de Staline".

Ayant pris Guelia dans ses bras, Staline lui demanda : "Qu'est-ce que tu aimerais comme cadeau – une montre ou un phonographe ?" (c'était là le lot standard : d'après les comptes rendus de la séance, tous les délégués ont reçu un cadeau : une montre ou un phonographe assorti de disques). "Les deux : la montre et le phonographe", répondit Guelia. Staline rit et tous les gens présents se mirent à rire.

81

Le lendemain, Guelia reçut un phonographe avec un assortiment de disques et une montre en or. Sur les deux objets était gravé : "A Guelia Markizova. De la part du chef du parti, I.V. Staline". Peu après son retour à Oulan-Oude, le père de Guelia fut arrêté, de même qu'Erbanov, Dorjiev et d'autres dirigeants de la République bouriato-mongole. Ils furent fusillés comme ennemis du peuple. Ensuite, la maman de Guelia fut arrêtée à son tour ; à sa sortie du camp, elle fut envoyée en relégation dans le Turkestan et elle se suicida : Guelia et son frère étaient orphelins. Et toute sa vie, la petite fille en costume marin – symbole de l'enfance heureuse des petits Soviétiques – a gardé les cadeaux gravés à son nom, "de la part du chef du Parti, I.V. Staline".

Товарищ **Сталин** с шестилетней **Гелей Маркизовой**, преподнесшей ему букет цветов — подарок делегации Бурят-Монгольской Автономной Советской Социалистической Республики. Справа на снимке — секретарь Бурят-Монгольского обкома ВКП(б) тов. **Ербанов**.
Снимок сделан в Кремле 27 января 1936 года. Фото М. Калашникова.

27 janvier 1936, Moscou. Photographie parue dans la Pravda, le 30 janvier 1936 et signée M. Kalashnikov. Traduction de la légende : « Le camarade Staline et la petite Guelia Markizova de six ans qui lui a apporté un bouquet de fleurs, cadeau de la délégation de la République socialiste soviétique autonome de Bouriato-Mongolie. A droite sur la photo, le secrétaire du Comité régional du PCR(b) de Bouriato-Mongolie, le camarade Erbanov. » A noter que cette photographie est déjà vraisemblablement un photomontage.
Le commentaire, paru dans Pamiat (La mémoire) n° 1, Moscou, 1976, signé des initiales L.A., a été repris dans L'Alternative, n° 29, septembre-octobre 1984.

■ RÉDUCTION DE GROUPE

Avril 1925. Quelques dirigeants de l'après-Lénine. De gauche à droite : Mikhaïl Lachevitch, vice-commissaire à la Guerre, Michel Frounzé, successeur de Trotsky à la tête de l'Armée rouge, A.P. Smirnov, commissaire à l'Agriculture, Alexei Rykov, président du conseil des commissaires du peuple, Klementi Vorochilov, qui va succéder à Frounzé, Staline, N. Skrypnik, dirigeant ukrainien, Andreï Boubnov, chef des services politiques de l'armée et Grigori Ordjonikidzé, Géorgien ami de Staline. La même photographie reparaît quatorze ans plus tard. Autour de Staline, on ne voit plus que Frounzé, Vorochilov et Odjonikidzé.

Dans l'intervalle, Lachevitch s'est suicidé (1928), A.P. Smirnov a disparu, Rykov a été fusillé (1938), Skrypnik s'est suicidé (1933), Boubnov a été exécuté (1938). Mais il ne faudrait pas en conclure que ceux qui subsistent sur la photographie ont tous survécu : Frounzé est mort de façon très suspecte en 1925 des suites d'une opération et Ordonikidzé a été exécuté (ou poussé au suicide) en 1937 !

1. *Photographie datée d'avril 1925. Origine inconnue.*
2. *Album Staline, Moscou, 1939.*

Les photographies, les tableaux, les images peintes ne suffisaient sans doute pas pour reproduire en série les traits de celui que la propagande gratifiera de titres de plus en plus ronflants : « Notre phare », « Soleil de l'humanité », « Glorieux pilote de l'Octobre mondial », « Père des peuples », « Le diamant le plus étincelant du Parti ». etc.

A partir de la fin des années trente le cinéma s'empare du personnage de Staline. Alors que, par ailleurs, la production générale de films soviétiques baisse très sensiblement, un grand nombre de films concourent à l'élaboration d'une mythologie puissante, unique dans l'histoire et encore incomplètement analysée.

Deux périodes historiques sont ainsi revues et corrigées. La révolution d'Octobre d'abord, dans laquelle Staline n'avait joué qu'un rôle très secondaire : des films comme *Lénine en Octobre* (de Mikhaïl Romm, 1937), *Le quartier de Vyborg* (Gregori Kozintsev et Leonid Trauberg, 1938), *L'homme au fusil* (Serge Youtkevitch, 1938), *Lénine en 1918* (M. Romm, 1939), *Jacob Sverdlov* (S. Youtkevitch, 1940) ou *L'inoubliable année 1919* (Mikhaïl Tchiaoureli, 1951), montrent un Staline omniscient, toujours présent aux côtés de Lénine, le conseillant efficacement, participant à toutes les phases de la révolution, s'exposant même lorsque Lénine, lui, se trouve dans la clandestinité. Ainsi dans *Lénine en 1918*, le personnage de Staline était présent pendant près de 40 minutes sur les 133 que durait la version originale du film.

L'autre période, c'est celle de la Seconde Guerre mondiale : alors que la stratégie stalinienne s'était montrée plutôt déficiente tout au long de la guerre, *Le tournant décisif* (Fridih Ermler, 1945), *Le serment* (M. Tchiaoureli, 1946), *Le troisième coup* (Igor Savchenko, 1948), *La bataille de Stalingrad* (Vladimir Petrov, 1949 et 1950) ou *La chute de Berlin* (M. Tchiaoureli, 1949) montrent un chef militaire aux intuitions géniales, réglant seul dans son bureau, entre deux bouffées de pipe, des batailles décisives. Dans sa *Biographie abrégée* (1948), Staline est glorifié comme « le plus grand stratège de tous les temps ». Comme le révéla Khrouchtchev, c'est Staline lui-même qui y avait ajouté de sa main divers passages comme celui-ci : « Le génie du camarade Staline lui permettait de deviner les plans de l'ennemi et de les mettre en échec ».

Un acteur a incarné pendant vingt ans, et dans presque tous ces films, le personnage de Staline : Mikhaïl Guelovani. Il était géorgien comme son modèle. Il fut comblé d'honneurs. Son jeu resta toujours assez figé : il avait l'impression, déclara-t-il plus tard, d'être « un monument de granit ». Certains passages du *Serment* (Staline se recueillant dans le jardin enneigé où il vint jadis rendre visite à Lénine et entendant la voix de Lénine, Staline diagnostiquant la panne d'un tracteur) ou de *La chute de Berlin* (un Staline rose et kaki arrosant amoureusement ses plantes vertes aux teintes pastel, un groupe de jeunes filles en fleurs s'écriant avec une touchante spontanéité « Vive Staline qui nous fit naître à une vie heureuse ! »), mériteraient de figurer dans une anthologie mondiale du kitsch.

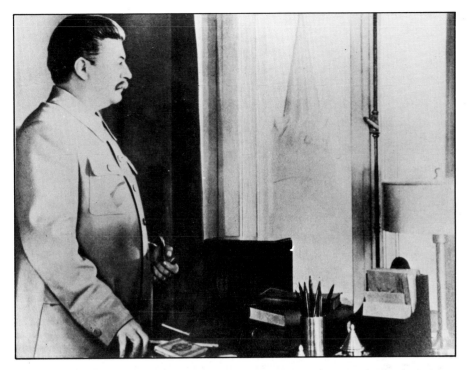

1 et 3. Le serment, Mikhaïl Tchiaoureli, 1946.
2. La chute de Berlin, de Mikhaïl Tchiaoureli, 1949.
4. La bataille de Stalingrad, de Vladimir Petrov, 1949 et 1950.

■ SOUS LES IMAGES, LE GOULAG

A partir du milieu des années vingt, les revues soviétiques, relayées par des livres, des brochures, des albums photographiques, des séries de cartes postales ou des affiches, racontent en permanence l'épopée des grands travaux. Canaux gigantesques, combinats métallurgiques ou chimiques, voies ferrées, pipelines, mines d'or ou d'argent, villes nouvelles, sont édifiés parfois en des temps records. Les écrivains et les photographes sont mobilisés pour chanter et montrer les grandes réalisations du « pays des Soviets ».

En fait, la plupart de ces grands travaux sont dus au travail forcé. Institué dès 1919 en Russie, il permet de déporter d'abord les « ennemis de classe » puis des groupes de plus en plus importants de la population selon un mécanisme sans cesse amplifié et qui, sous Staline, culmina entre 1937 et 1950. Mobilisant des armées de fonctionnaires, réquisitionnant wagons, camions ou bateaux, emplissant des centaines de camps ou de prisons, donnant naissance à d'immenses colonies de relégation étalées sur plusieurs milliers de kilomètres, le phénomène fut d'une ampleur sans précédent dans l'histoire de l'humanité.

Ces images de la construction du combinat de Kouznetsk, en Sibérie, ont été publiées dans la revue *L'URSS en construction*, accompagnées de textes épiques. Le combinat a été en fait en grande partie construit par des déportés, travaillant jour et nuit dans des tourbières insalubres et, l'hiver, dans les glaces et la boue gelée. « Chaque jour, au bruit des orchestres, est proclamé le nom de la brigade qui a battu un nouveau record. Les haut-parleurs transmettent à 50 000 ouvriers les noms des vainqueurs. Le travail est devenu une affaire d'honneur et de gloire. » Ainsi s'expriment les journalistes de la revue. Résultat : plusieurs milliers d'anonymes moururent à la tâche. Des dizaines d'autres articles montraient de la même façon de grandes réalisations ambitieuses. Certaines, absurdes, inutiles, ou techniquement impossibles, furent entreprises sans moyens mais au prix de dizaines de milliers de vies humaines. C'est le cas par exemple du canal de la mer Blanche (1932) ou de la voie ferrée Kotlas-Vorkouta. Chaque fois, les textes et les images de la propagande présentaient les chantiers comme des lieux de travail où de jeunes volontaires enthousiastes édifiaient le communisme. Mais parfois, sur les photos de ces chantiers, on distingue les petites silhouettes des gardes armés de fusils, ou bien des miradors que la censure a oublié d'effacer.

Plusieurs dizaines de millions de Russes, représentant trois générations, seront passés par les camps de travail entre 1919 et 1960. Beaucoup n'en sont pas revenus. Selon les méthodes de calcul qu'ils emploient, les démographes ne s'accordent pas parfaitement : pour les plus optimistes, le « stalinisme » – en dehors des décès dus à la guerre – aurait coûté à l'Union soviétique 17 millions de morts, et pour les plus pessimistes, 60 millions.

1 et 2. Reportage sur les chantiers du Kouznetskroï en Sibérie, L'URSS en construction, n° 4, avril 1932. La première est légendée « Les samedis communistes à la station électrique ».
3. Creusement des fondations de l'usine automobile de Nijni-Novgorod, L'URSS en construction, n° 1, janvier 1933.

■ UNE PANCARTE À KATYN

1939. Prise en tenaille entre l'Armée rouge et l'armée allemande alors alliées, l'armée polonaise capitule. Plus de 200 000 soldats sont faits prisonniers par les Soviétiques et envoyés dans les camps de Sibérie. 15 000 officiers et sous-officiers sont emmenés vers d'autres camps et disparaissent complètement. Deux ans plus tard, Hitler se retourne contre son allié Staline et attaque l'Union soviétique. Le gouvernement soviétique tente alors de conclure une alliance avec le gouvernement polonais en exil à Londres. Les représentants polonais demandent la libération de leurs officiers mais n'obtiennent aucun renseignement. Début 1943, les Allemands, qui ont envahi la région de Smolensk, sont prévenus de l'existence de charniers dans la forêt de Katyn. On exhume les corps de plusieurs milliers d'officiers polonais. Tous ont les mains liées derrière le dos par des cordelettes. Tous ont été abattus d'une balle dans la nuque. Malgré la guerre et ses autres horreurs, le retentissement est considérable. Goebbels s'empare de l'affaire et mène une violente campagne sur la barbarie russe. Les Soviétiques accusent les nazis du crime. Une commission internationale, qui travaille sur les lieux en 1943, date le massacre du printemps 1940, c'est-à-dire de l'époque où la région était encore sous contrôle russe : 4 143 officiers polonais ont été abattus et enfouis dans sept fosses de la forêt de Katyn. Près de 3 000 d'entre eux peuvent être identifiés grâce à leurs papiers. Lorsque la région de Smolensk est reconquise par les Soviétiques, on nomme à Moscou une autre commission d'enquête qui estime le contenu des fosses à 11 000 cadavres.(chiffre volontairement exagéré) et date la mort de l'automne 1941 (donc après la prise de la région par les Allemands). Mais le massacre de Katyn n'est pas retenu à la charge des Allemands par le tribunal de Nuremberg. En fait, selon les travaux de la commission internationale qui furent complétés après guerre par quelques témoignages, les 4 143 officiers polonais avaient été abattus un par un par des agents du NKVD, la police politique soviétique, obéissant directement aux ordres de Beria. Le massacre n'avait donc été découvert que grâce aux mouvements de la Seconde Guerre mondiale. L'emplacement des autres charniers contenant les corps des 10 000 autres officiers est resté secret. D'après des témoignages, 6 000 d'entre eux auraient été noyés dans la mer Baltique. Le massacre de Katyn a été un véritable traumatisme dans l'histoire et la mémoire des Polonais. Pourtant il est absolument interdit de l'évoquer en Pologne (ce fut un des premiers gestes politiques du syndicat libre Solidarnosc). Les livres qui ont paru en URSS ou dans différents pays de l'Est attribuent toujours le massacre aux nazis. A plusieurs reprises, des ouvrages très « documentés » ont paru, surtout destinés aux Polonais, pour accréditer la thèse soviétique. Documents truqués (le NKVD avait préparé le terrain pour la commission d'enquête soviétique en glissant çà et là parmi les cadavres des lettres ou des papiers prouvant que les Polonais étaient encore vivants en 1941), faux témoignages, et photos ornées de légendes mensongères composent par exemple le copieux dossier « La vérité sur Katyn » (1952). Et pour parfaire le tout, cette photographie d'un panneau commémoratif planté dans la forêt de Katyn par les Soviétiques et déclarant :

« Ici dans la forêt de Katyn
en automne 1941 ont été fusillés
par les bourreaux hitlériens
11 000 prisonniers de guerre
soldats et officiers polonais
les troupes de l'Armée rouge
les vengeront ! »

---

1. Tiré de l'ouvrage de Boleslaw Wojcicki, Prawda o Katyniu (La vérité sur Katyn), Varsovie, 1952. La zone étant interdite aux étrangers et même aux Soviétiques, nous n'avons pu savoir si cette pancarte existe toujours.
2. Photo de la commission d'enquête internationale publiée dans Zbrodnia Katynska w s'wietle dokumentow, Londres, 1948.

■ CAPITULATION
EN CINÉMASCOPE

9 mai 1945. Le cessez-le-feu a eu lieu une semaine plus tôt et le général Keitel signe l'acte de capitulation (1). Face à lui, le général américain Spaatz (au centre de la photographie) et à gauche le général russe Joukov.
Cette photographie aux perspectives étrangement déformées a été publiée dans les livres d'histoire soviétiques. C'est en fait une image composite : on a rassemblé plusieurs clichés de façon à donner une vue d'ensemble de l'événement. Si l'on compare avec un autre cliché pris au même moment (2), on voit qu'on a aussi descendu les drapeaux qui se trouvaient sur le mur du fond de telle sorte qu'ils apparaissent dans le cadre.

1. *Photographie composite qu'on retrouve aussi bien dans les mémoires du maréchal Joukov, par ailleurs truffées d'autres photographies retouchées ou truquées (Vospominanya i razmishtlenia Moscou, 1974, version anglaise Reminiscences and reflections, Moscou, 1985) que dans l'ouvrage du maréchal Tchouikov Stalingrad-Berlin, le chemin de feu, Moscou, 1985.*
2. *Photographie publiée dans Roman Karmen, Moscou, 1983. Le cinéaste qu'on voit derrière Joukov est Roman Karmen.*

■ LA GUERRE ET LE CINÉMA

La Seconde Guerre mondiale que les Russes appellent la « Grande Guerre patriotique » a été le thème favori (ou imposé...) des cinéastes russes depuis 1945. Dès l'année de la victoire, Staline ordonne que le cinéma rende compte des victoires de l'Armée rouge et, malgré la pénurie, d'énormes budgets sont consacrés à des films de guerre. Citons parmi les plus fameux *La bataille de Stalingrad* (V. Petrov, 1949 et 1950), *Le tournant décisif* (F. Ermler, 1945) ou *La chute de Berlin* (M. Tchiaoureli, 1949). Mais par un irrésistible mouvement qu'on a déjà observé à maintes reprises, par exemple pour la révolution d'Octobre, l'iconographie historique se voit peu à peu contaminée par les images du cinéma de fiction et, au cours des années, les images les plus réussies des batailles reconstituées pour le cinéma, deviennent de réelles images historiques...

1. La bataille de Stalingrad, *de Vladimir Petrov, 1949 et 1950. Plusieurs images du film sont reprises dans* Stalingrad, *Moscou, 1966 et dans* Velikaya Otechestvennaya 1941-1945 (La Grande Guerre patriotique 1941-1945), *Moscou, 1984.*
2. *De même, les images de la prise du Reichstag de* La chute de Berlin *sont fréquemment reprises dans les livres d'histoire.*

■ L'ART DE LA PHOTO MOSAÏQUE

Les premiers photographes, au XIXe siècle, pour montrer leur virtuosité, avaient inventé une sorte de jeu d'adresse : ils parvenaient à accumuler sur la même épreuve un grand nombre de personnages photographiés à des moments différents : on nomma cette technique la photo « mosaïque ».

L'une des plus belles photographies de ce genre est sans doute celle qui fut diffusée par l'Union soviétique au lendemain d'une cérémonie au théâtre Bolchoï de Moscou pour le 70e anniversaire de Staline (décembre 1949). Quinze dirigeants russes et étrangers s'alignent à la tribune autour du vieux dictateur. Il y a là Togliatti, Kossyguine, Kaganovitch, Mao Tsé-toung,

Staline, et trois lignes de lettres géantes accrochées dans les cintres – a été sans doute aussi redessiné à partir d'un ou de plusieurs clichés originaux. Ainsi la « photographie de famille » est-elle entièrement revue et arrangée, chacun occupant sa place selon les critères hiérarchiques et protocolaires complexes, chacun offrant au public un visage neutre, uniformément éclairé. Toute la « famille » (une famille réduite à des silhouettes plates de carton découpé), tout l'espace du Bolchoï (un espace théâtral réduit à des drapeaux, des soldats immenses, des slogans, et, on le devine, des vagues d'applaudissements programmées) sont sous le regard du « dirigeant et éducateur » (ainsi le désignent les lettres accrochées aux cintres).

Ces photographies de groupes, retouchées,

Malenkov, Beria, Mikoyan, Kaganovitch, Molotov, Khrouchtchev. 1952 : Malenkov, Beria, Molotov, Mikoyan, Kaganovitch, Khrouchtchev.

Disgrâce du Molotov, et du Boulganine, montée régulière du Malenkov, errance du Kaganovitch et du Mikoyan, bonne tenue du Beria, discrète percée du Khrouchtchev, on pouvait suivre ainsi de saison en saison le cours des dignitaires du Kremlin, deviner les humeurs du chef et spéculer sur sa succession.

Une des photographies officielles des obsèques de Staline, le 8 mars 1953, montre tous les représentants du communisme international présents à la tribune du mausolée quelques instants avant qu'on y porte le cercueil vitré (le nom de l'homme d'acier figure déjà au fronton sous celui de Lénine). Il y a là une fois de plus Dej, Ulbricht, Dolores Ibarurri, Togliatti flanqué de Nenni, Boulganine, Molotov, Vorochilov, Malenkov, Khrouchtchev, Beria, Mikoyan. Chou En-lai représente la Chine, Duclos le PC français. Gottwald est là aussi et il est en train d'attraper le refroidissement mortel qui l'emportera cinq jours plus tard (mais Staline lui vole sa propre mort : dans le deuil « mondial » pour le « père des peuples », l'événement passe presque inaperçu, sauf en Tchécoslovaquie bien sûr). Et dans ce nouveau portrait de famille, on découvre encore que tous ces personnages sont uniformément éclairés et tournés vers le photographe, que la cime des sapins ne cache plus les ailes de la tribune, ces ailes où justement d'habitude les seconds rôles s'entassent, et où pourtant les visages sont tous bien détachés les uns des autres, où aucun n'en cache un autre (notable exception, Palmiro Togliatti, secrétaire général du PC italien, occulte légèrement Pietro Nenni, secrétaire du parti socialiste italien : coïncidence, c'est le seul qui, à cette tribune, n'est qu'un vulgaire « compagnon de route »), où enfin les traits de ceux qui sont à l'arrière sont aussi nets que les traits de ceux qui sont au premier rang.

Boulganine, Ulbricht, Khrouchtchev, Dolorès Ibarurri, Georghiu-Dej, Souslov, Malenkov, Beria et d'autres encore. On voit immédiatement qu'une telle scène est à peu près impossible à photographier correctement (manque de recul et d'éclairage, personnages au second plan, dans l'ombre, cachés ou bougeant, perte de divers détails). Or, l'ambitieuse composition qui prétend rendre compte de la totalité de l'événement n'oublie ni un visage ni un détail. Elle a donc vraisemblablement été établie à partir d'un ensemble de photographies, et les silhouettes de tous les hôtes de marque ont été découpées, redessinées et alignées à la tribune, ce qu'on découvre en effet, si l'on examine attentivement le cliché. Le fond – étendards, soldats porte-drapeaux, palmes, fleurs et feuillages, immense portrait de

réarrangées ou parfois entièrement repeintes, sont la spécialité du bureau de presse soviétique. Elles sont devenues après 1945 de véritables enjeux diplomatiques. Malgré l'accablant ennui qui s'en dégage, elles se mirent à passionner les diplomates et les soviétologues qui apprirent rapidement à y déchiffrer les signes secrets de l'« Histoire ».

Car il s'agit effectivement de véritables messages codés : autour de Staline, aux défilés du 1er mai, aux anniversaires d'Octobre, aux diverses cérémonies commémoratives, les dignitaires s'alignaient sur le mausolée selon un ordre strict qui relevait autant d'un sévère protocole que des caprices du vieux dictateur.

1948 : Molotov, Beria, Kaganovitch, Malenkov. 1949 : Boulganine, Molotov, Malenkov, Beria, Mikoyan. 1951 :

1. Décembre 1949. Agence Tass. Le slogan inscrit au-dessus des participants déclare : « Vive le grand dirigeant et éducateur du parti communiste et du peuple soviétique le camarade I.V. Staline ».
2. Détail de la précédente.
3. Parade du 1er mai sur la place Rouge, 1er mai 1952.
4. Photographie du 8 mars 1953. Diffusée par Tass. Reprise en première page de la Pravda, le 10 mars 1953 et dans Ogoniok, le 15 mars 1953.

ДА ЗДРАВСТВУЕТ ВЕЛИКИЙ ВОЖДЬ И УЧИТЕЛЬ
КОММУНИСТИЧЕСКОЙ ПАРТИИ И СОВЕТСКОГО НАРОДА
ТОВАРИЩ И. В. СТАЛИН !

ЛЕНИН

ЛЕНИН
СТАЛИН

Договаривающихся Сторон подвергнется нападению со стороны Японии или союзных с ней государств, и она окажется, таким образом, в состоянии войны, то другая Договаривающаяся Сторона немедленно окажет военную и иную помощь всеми имеющимися в ее распоряжении средствами.

Договаривающиеся Стороны также заявляют о своей готовности в духе искреннего сотрудничества участвовать во всех международных

одна из Договаривающихся Сторон за год до истечения срока не заявит о желании денонсировать Договор, то он будет продолжать оставаться в силе в течение 5 лет и в соответствии с этим правилом будет пролонгироваться.

Составлено в г. Москве, 14 февраля 1950 года в двух экземплярах, каждый на русском и китайском языках, причем оба текста имеют одинаковую силу.

Не Чжун-пэн, До Вэй, члены и ответственные сотрудники Китайского Посольства в Москве.

В числе гостей были Посол Чехословацкой Республики г. Б. Лаштовичка, Посол Корейской Народно-Демократической Республики г. Дю Ен Ха, Посол Народной Республики Болгарии г-жа С. Благоева, Посол Румынской Народной Республики г. С. Бугич, Посол Венгерской Народной Республики г. А. Собек, Посланник Монгольской Народной Республики г. Н. Идамжаб, Посланник Народной Республики Албании г. В. Натанали, Глава Дипломатической Миссии Германской Демократической Республики г. Р. Аппельт, Временный Поверенный в Делах Польской Республики г. Я. Замбрович, а также члены Посольств и Миссий указанных стран.

(ТАСС).

По уполномочию Президиума Верховного Совета
Союза Советских Социалистических Республик
А. ВЫШИНСКИЙ.

По уполномочию Центрального Народного
Правительства Китайской Народной Республики
ЧЖОУ ЭНЬ-ЛАЙ.

Подписание Договора и Соглашений между Советским Союзом и Китайской Народной Республикой. Подписывает Договор А. Я. Вышинский. На снимке (слева направо): А. А. Громыко, Н. А. Булганин, Н. В. Рощин, г-н Чжоу Энь-лай, А. И. Микоян, Н. С. Хрущев, К. Е. Ворошилов, В. М. Молотов, И. В. Сталин, г-н Мао Цзе-дун, Б. Ф. Подцероб, Н. Т. Федоренко, г-н Ван Цзя-сян, Г. М. Маленков, г-н Чен Бо-да, Л. П. Берия, г-н С. Азизов, Л. М. Каганович.

Фото Ф. Кислова.

■ PACTE À GÉOMÉTRIE VARIABLE

1950. Staline et Mao signent le pacte d'amitié sino-soviétique. La Chine populaire a à peine six mois. Chou En-lai et Mao Tsé-toung se sont déplacés à Moscou. L'événement est d'importance. La *Pravda* lui accorde une grande photographie, d'un format manifestement impossible et montrant tous les participants. Plusieurs peintres soviétiques se grouperont pour réaliser un tableau géant, mettant bien entendu surtout en valeur Staline. Les Chinois feront aussi un tableau, mais plus sobre, et plaçant Staline sur le même rang que Mao. Et de la photographie, ils ne garderont qu'une petite partie, celle qui montre les deux protagonistes principaux. En 1953, Staline meurt. Quelques jours après, dans la *Pravda,* un fragment de la photographie du pacte reparaît. Mais cette fois, un personnage s'est rapproché du couple Staline-Mao et, pour mieux renforcer encore l'effet, on a effacé le ministre Vichinsky qui signait le pacte ainsi que ceux qui l'entouraient. Le nouvel arrivant, c'est Malenkov qui brigue la succession de Staline et qui tente de se glisser dans l'histoire en se rapprochant des grands hommes. Il y parviendra presque pendant deux ans mais sera chassé du pouvoir par Nikita Khrouchtchev.

1. Pravda, *14 février 1950.*
2. Pravda, *10 mars 1953.*
3. Peoples's China, *Vol. 1, n° 1, 1ᵉʳ avril 1950.*

1. Pravda, *14 février 1950.*
2. Pravda, *10 mars 1953.*
3. Peoples's China, *Vol. 1, n° 1, 1ᵉʳ avril 1950.*

■ LA VALSE DES DAUPHINS

5 mars 1953. Staline est mort. La photographie de son cadavre embaumé est aussitôt diffusée pour la presse internationale. La même photographie sert de base à un montage assez grossier qui paraît dès le 7 mars dans la *Pravda*. Le groupe des dirigeants, amis et successeurs potentiels, a été collé sur le fond d'une façon assez peu protocolaire. Cependant Malenkov s'en détache nettement.

Le lendemain, nouvelle photographie. Cette fois, devant le cadavre, s'alignent symétriquement les six personnages occupant les rangs les plus élevés : d'un côté Khrouchtchev, Beria, Malenkov, de l'autre, Boulganine, Vorochilov et Kaganovitch. La photographie, officielle, solennelle, semble cependant quelque peu douteuse lorsqu'on l'examine de près. Les draperies du catafalque et les fleurs qui les bordent sont repeintes, ainsi que les détails des costumes et les ombrages. Et surtout, la tête de Staline est d'une dimension bien trop importante étant donné sa position à l'arrière-plan. Ces doutes se renforcent encore lorsqu'on compare les diverses versions de ce cliché telles qu'elles ont circulé dans ces années-là ou telles qu'on les trouve imprimées dans les revues ou les livres : l'écart entre Beria et Malenkov varie, ainsi que les fonds derrière Boulganine et Vorochilov. Il est évident que ces silhouettes ont été collées sur le fond (peut-être pour supprimer les soldats qui veillent sur le corps).

Mais l'image ne devait pas rendre compte totalement de l'équilibre des forces en présence puisque, dès le 9 mars, la *Pravda* publie un nouvel alignement tout aussi composite mais englobant cette fois deux nouveaux venus, Molotov (à gauche) et Mikoyan (à droite). La photographie semble un peu moins retouchée que la précédente. Mais comme là aussi plusieurs versions circuleront – l'écart entre Vorochilov et Beria varie, la mèche de Beria est effacée, les costumes sont redessinés, on peut en conclure qu'il s'agit là encore d'un réarrangement de plusieurs photographies sur le même décor.

1. *Photo diffusée par Tass, le 7 mars 1953.*
2. *Photomontage en 2ᵉ page de la* Pravda *du 7 mars 1953.*
3. *Pravda, 8 mars 1953. Photo signée A. Oustinov et F. Kislov.*
4. *Pravda, 9 mars 1953 et Ogoniok, 15 mars 1953.*

■ UNE ÉTAPE MÉCONNUE DE LA DESTALINISATION

24 février 1956. Le XXᵉ congrès du PC soviétique bat son plein. Dans la soirée, Nikita Khrouchtchev, secrétaire général du parti, présente un rapport secret d'une centaine de pages. Aucune mention de ce rapport ne sera faite dans la *Pravda*. Seuls quelques chefs de partis étrangers, la fille de Staline, Svetlana, et Tito en auront connaissance. Par des voies encore mal

connues, mais vraisemblablement polonaises, le département d'État américain parvient à l'obtenir et le *New York Times* le publie le 4 juin, suivi aussitôt par les grands journaux occidentaux.

Dans ce rapport, préparé dans le plus grand secret, Khrouchtchev dénonçait les crimes de Staline et donnait de nombreux exemples du délirant « culte de la personnalité ». Entre cette date et la fin du règne de Khrouchtchev (1964), les autorités soviétiques, qui pourtant ne firent jamais

officiellement mention du rapport secret avant le XXIIᵉ congrès (1961), mirent autant d'acharnement à effacer toute trace de Staline qu'elles en avaient mis pendant près de vingt-cinq ans à en faire un dieu vivant. Sa momie fut ôtée du mausolée de la place Rouge. Ses ouvrages jusque-là tirés à des dizaines de millions d'exemplaires furent détruits ou cachés. Statues, images, peintures furent éliminées ; villes, barrages, combinats, usines furent débaptisés ; les livres d'histoire furent retirés de la circulation, réécrits et republiés. Les photographies, enfin, furent retouchées de façon à faire disparaître celui dont l'image était pourtant omniprésente. Sous Brejnev, à partir de 1964, on tempéra cependant cette élimination radicale : Staline était à nouveau cité mais on critiquait sa stratégie ou sa ligne politique, sans revenir cependant ni sur le « culte de la personnalité » ni sur le phénomène des purges et de la déportation. Et on pouvait trouver parfois son portrait, au milieu d'autres bolcheviks, dans les livres d'histoire.

Le cinéma est un domaine où la déstalinisation a pris les formes les plus curieuses. Ainsi les copies des films sur Lénine ou Staline ont été amputées au cours des années soixante de toutes les séquences montrant Staline. Lorsque ce n'était pas possible, des caches ont effacé sa silhouette. Une scène de *Lénine en Octobre* montrait Lénine et Staline traversant une salle pour se rendre sur une estrade. Dans la séquence qu'on peut voir aujourd'hui, la silhouette d'un marin masque Staline. La version originale de *Lénine en 1918* durait 2 h 13. Le même film dure aujourd'hui 1 h 35 : toutes les séquences où figurait Staline et qui n'étaient pas nécessaires à l'action dramatique ont été ôtées. De la même façon dans les films des années trente et quarante, les portraits de Staline accrochés aux murs des appartements ou des bureaux ont été remplacés par des portraits de Marx ou de Lénine selon une technique d'incrustation par transparence qui, loin d'être parfaite, attire au contraire le regard ! Les films conservés dans les cinémathèques occidentales ont subi le même sort. Cela fut d'autant plus facile que les négatifs originaux étaient aux mains des Soviétiques : ceux-ci offrirent de restaurer ou de renouveler gratuitement les copies détériorées et en renvoyèrent donc de nouvelles, mais expurgées.

1. Staline campé par S. Goldshtab dans Lénine en Octobre, *(Mikhaïl Romm, 1937).*
2. M. Guelovani dans L'inoubliable année 1919 *(M. Tchiaoureli, 1951). Ces deux scènes ont été supprimées dans les versions modernes.*

La saga maoïste

Avec l'histoire de Mao Tsé-toung, confondue pendant un demi siècle avec celle de la Chine, il se produit un phénomène assez identique à celui qui avait été observé avec Staline. La photographie joue un rôle primordial dans l'éclosion d'un « culte de la personnalité » exubérant : multiplication à l'infini du portrait de Mao, isolement de sa personne, effacement des rivaux, rééquilibrage ou recomposition de scènes historiques réelles, voire invention de scènes fictives. Ces images retouchées sont montrées dans les musées, distribuées dans des journaux ou des livres et aussi exportées. Nombre d'entre elles sont l'illustration de mensonges ou de camouflages des textes historiques. Et, de même que l'histoire de la Chine est écrite sous le contrôle du parti, qui élimine tel épisode ne coïncidant pas avec la théorie ou la ligne politique, ou au contraire gonfle démesurément tel événement symbolique, toutes les images historiques ont un sens, viennent à une place déterminée et remplissent un rôle extrêmement précis. Elles ont leurs codes, leur ordre hiérarchique, leurs réseaux d'allusions que chacun doit savoir déchiffrer. Les artistes chinois sont passés maîtres dans l'art de la retouche et du photomontage. Ils ont mis en couleur toutes les grandes photographies de l'épopée maoïste. Ils ont mis en valeur tel personnage ou, au contraire, renvoyé tel autre au néant. Ils ont habilement effacé détails ou personnages indésirables.
Mais il faut dire qu'à la différence de l'Union soviétique où l'effacement de Trotsky dure depuis plus d'un demi-siècle, en Chine les images ont connu une évolution constante. Beaucoup d'effacés sont réapparus dans l'iconographie tandis que de nouveaux personnages disparaissaient à leur tour. Mao lui-même aujourd'hui, retrouve une place beaucoup plus modeste au milieu des autres dirigeants et ses images sont moins abondantes dans les musées ou dans les livres. Le système iconographique chinois a perdu de sa rigueur et il n'est pas rare de rencontrer dans un même album des versions successives de la même image.

■ DU PORTRAIT DE GROUPE À L'IMAGE PIEUSE

Quand Mao Tsé-toung, quelques années après 1949, commença à devenir l'objet d'un véritable culte, les responsables de la propagande s'aperçurent que les images de sa jeunesse, peu nombreuses, n'étaient pas toujours en accord avec la vie légendaire qui était en train de s'écrire. Mao avait été un jeune homme de bonne famille, un étudiant ordinaire et un dirigeant communiste parmi beaucoup d'autres. Aussi tous les portraits de cette époque qu'on peut voir dans les musées ou dans les livres chinois sont-ils des agrandissements soigneusement détourés et retouchés de photos de famille, de photos d'étudiants ou de réunions politiques. La vie de Mao, comme celle de Staline ou de

Kim Il sung, devient ainsi une succession de visages repeints, beaux, impassibles, qui se rapprochent plus de l'image pieuse que de la photographie.

Sur les photographies prises au maquis entre 1930 et 1949, Mao porte toujours des vareuses fripées aux poches boursouflées, aux cols tordus, et des chemises ouvertes et parfois même effrangées. Il a les cheveux très longs, avec des mèches rebelles qui glissent souvent sur son front. Après 1949, les iconographes maoïstes effacent tous ces signes d'une nature plutôt indépendante. Une photographie, donnée à Edgar Snow en 1936 et publiée par lui, a été prise en novembre 1931 au plénum du sixième congrès du PC chinois. Elle montre plusieurs personnages dont Chou-Teh, Teng Fa et Mao. C'est cette image ramenée au seul buste de Mao qui, lorsque le « culte

de la personnalité » aura commencé, servira à illustrer le révolutionnaire des années trente. Mais le col de chemise débordant et ouvert est désormais caché sous la vareuse, elle-même soigneusement refermée et repassée. Et le contour des cheveux en broussaille a été sagement remodelé.

1. Minzu Huabao, n° 11, 1976. Mao « dans sa jeunesse », en 1919, en 1924, en 1925, en 1927 et en 1931.
2. Photo d'auteur inconnu donnée en 1936 à Edgar Snow et publiée par lui dans son livre Red star over China (1937). De gauche à droite : Fang Chih-min, Chou Teh, Teng Fa, Hsiao K'e, Mao Tsé-toung et Wang Chia-Hsiang.
3. Littérature chinoise, n° 11-12, 1976 et La Chine, n° 11, 1976.

蘇區中央局委員攝於第一次全蘇大會紀念日 一九三一·十一 於瑞金赤色七

八縣貧農團代表大会主席團攝影 1933.6.26

■ LA FAUCILLE
ET LE MARTEAU

Cette photographie, prise en 1933, montre Mao debout sur une estrade, les mains sur les hanches, une de ses positions favorites. Plus tard, l'iconographie maoïste ne retiendra que la partie droite de la photographie. Mais le visage de Mao est redessiné, le col de sa vareuse repassé et resserré, les plis des vêtements effacés. Selon différentes autres versions, les trois gros plis noirs disgracieux dans le haut du pantalon disparaissent et la poche droite qui était bourrée, s'allège et s'aplatit magiquement. Dans une ultime version, l'image est mise en couleurs. Les motifs du tapis qui recouvre la table sont effacés et un élément de la partie gauche de la photo, l'écusson portant la faucille et le marteau, est déplacé vers la droite.

一九三三年，毛澤東同志在江西革命根據地八縣貧農團代表会议上讲话。

1. *Juin 1933.* Histoire illustrée de l'armée populaire de libération, *volume 1, Pékin, 1980.*
2. *Minzu Huabao, n° 11, 1976. Légende : « Le camarade Mao Tsé-toung prononce un discours à la conférence des représentants des ligues de paysans pauvres, venus des huit districts de la base révolutionnaire du Kiangsi, en 1933. »*

■ LA RÉVOLUTION SANS ÉTRANGERS

Vers 1938, un groupe de visiteurs et d'amis étrangers pose pour Edgar Snow en compagnie de dirigeants chinois. Au premier rang, il y a Po Ku, Chou En-lai et Wang Ming. Dans les livres d'histoire chinois, comme dans les mémoires d'Otto Braun (le conseiller militaire envoyé par Staline et qui fit passer l'armée chinoise de la guerre de mouvement à la guerre de position), on découvre la même photographie mais réduite aux trois seuls dirigeants chinois. Le détourage est assez fruste : on a coupé aux ciseaux la partie de la photographie qu'on voulait conserver et on l'a collée sur un fond gris. Dix personnes, dont Agnès Smedley (au centre à l'arrière-plan), la femme de Chou En-lai (à l'extrême droite au second rang) et divers amis Occidentaux ont été éliminés par le détourage : la révolution n'est pas une partie de campagne cosmopolite.

(995) 王明（即陳紹禹，圖右）、周恩來（圖中）、博古（即秦邦憲，圖左）攝於一九三一年。王明、博古是一九三一年至一九三五年中共的領導人，被指爲第三次「左」傾路線的執行者。

1. *Photographie prise par Edgar Snow, vraisemblablement en 1938.*
2. *Histoire illustrée de la Chine moderne, Tiandi Tushu, Pékin, 1980. Po Ku a été longtemps éliminé de l'iconographie chinoise : son image reparaît vers 1980. Mais dans ce cas, on ne restitue pas toute la photographie. Voir aussi Otto Braun, Chinesische aufzeichnungen 1932-1939, Berlin, 1975.*

■ LA LONGUE MARCHE REMISE EN SCÈNE

En 1931, une république soviétique chinoise avait été proclamée dans la province du Kiang-si par des cadres du parti communiste ayant échappé à l'écrasement de la révolte de Canton (1927). Encerclée par les troupes de Tchang Kaï-chek, l'Armée rouge, forte de 130 000 hommes, se lance dans un immense mouvement de retraite qui lui fait parcourir près de 12 000 kilomètres en un an et perdre les trois quarts de ses effectifs avant de trouver refuge dans le Chen-si (octobre 1934-octobre 1935). La « Longue Marche », ponctuée de batailles sanglantes, de manœuvres militaires compliquées et d'épisodes héroïques devenus légendaires comme le franchissement du pont Luting, est devenue le grand mythe fondateur du futur État communiste. C'est la période pendant laquelle Mao, jouant habilement des dissensions et surtout s'alliant aux chefs militaires comme Chou-Teh, prend peu à peu du pouvoir sur ses aînés du comité central. Elu président du comité central lors de la réunion de Tsunyi (janvier 1935), il sort de la Longue marche dans une position dominante qu'il renforcera encore plus tard en mettant en minorité les membres du groupe « de gauche » et les communistes trop alignés sur Moscou.

Aucun photographe n'était présent tout au long de l'épopée et seules quelques photos très vagues et très floues ou bien présentant des épisodes secondaires ont survécu à la Longue Marche. Lorsqu'après la victoire de 1949, les Chinois ont commencé à écrire l'histoire de leur révolution, ils ont surtout utilisé les dessins réalisés par Huang Chen, alors jeune soldat qui travaillait à la section de propagande de l'Armée rouge. Mais le manque de photos fut bientôt comblé grâce au cinéma. Les films historiques mettant en scène d'immenses foules de guerriers bien ordonnés apportèrent leur lot d'images aux illustrateurs chinois. Et, alors que le manque de toute photo intéressante sur cette période historique était bien connu de tous en Chine, on n'a pas hésité à publier des photogrammes de ces films en les intitulant « scènes de la Longue Marche ».

1 et 2. Dessins de Huang Chen, Sketches of travel to the West, *Shanghaï, Octobre 1938.*
3. Photo de tournage d'un film révolutionnaire chinois, probablement, En franchissant mille monts et rivières, *de Yan Jizhou, 1977.*

■ HISTOIRE D'UNE CASQUETTE

Jusqu'à sa prise du pouvoir, Mao n'a mis que rarement l'uniforme et, encore plus rarement, une casquette militaire. A Pao'an en 1936, Edgar Snow insiste et, pour le photographier en militaire, le coiffe de sa propre casquette à étoile rouge. Mao, un peu fâché, se laisse faire. Le cliché a connu une grande postérité. La photographie originale, floue, montre un visage crispé, aux ombres dures, au sourcil sévère (Mao semble assez gêné de la mascarade). Le col de la vareuse est fripé. La tête de Mao se détache sur un fond où l'on distingue un mur (sans doute un de ceux qui ferment les grottes de Pao'an) et le linteau d'une porte. Des années plus tard, les illustrateurs s'empareront de cette photographie (déjà truquée dans sa genèse même !) et en feront une des principales images pieuses du culte maoïste. Les contours du visage et de la casquette ont été affirmés, les ombres diminuées, la pointe et les ailes du nez adoucies, la sévérité des yeux et des sourcils atténuée, la bouche, les oreilles, les boutons du col et l'étoile rouge bien redessinés, le col de la vareuse redressé, les barrettes d'officier ajoutées (ou peut-être renforcées), et le fond très délavé pour mieux faire ressortir le personnage. Il ne manquait plus à cette scène que la couleur, qu'on s'empressa d'ajouter par la suite, créant une des plus fameuses images de l'épopée révolutionnaire chinoise.
Beaucoup d'autres photographies de cette époque subiront les mêmes métamorphoses. Et, grâce à quelques retouches très simples, on transformera le Mao rebelle, hirsute, débraillé, artiste, en sévère général de la révolution chinoise.

1. *Photographie d'Edgar Snow, prise en 1936 à Pao'an.*
2. *Musée de la révolution, Pékin. Et nombreuses publications comme* La Chine, *nº 7-8, 1971 ou* La Chine, *nº 11, 1976.*

104

■ PROMENADE
DANS LA CAMPAGNE

Mao vient observer les travaux des champs à
Yenan en 1942. Vingt quatre ans plus tard,
la même image reparaît dans un recueil de
photographies. Mais elle est désormais en
couleurs et on a fait disparaître les paysans
qui se trouvaient dans la campagne
environnante ainsi que les curieux du bord
de la route. La photographie n'a plus du tout
le même sens : l'isolement de la silhouette
en renforce le caractère désormais sacré. En
même temps on a éclairci le visage de Mao,
éliminé les froissures disgracieuses de son col
et retaillé légèrement ses cheveux.

1. *Photographie de Wu Yinxian, Yenan, 1942.*
2. *La photographie chinoise, n° 3, 1976.*

■ L'INCIDENT DE SIAN

Décembre 1936. A Sian, capitale du Chen-si, une nombreuse armée du Kuomintang s'apprête à marcher sur Yenan pour anéantir le quartier général communiste. Elle est dirigée par Chang Hsueh-Liang, fils d'un seigneur de la guerre mandchou assassiné par les Japonais en 1928. Mais, persuadé que la lutte contre les Japonais et la reconquête de la Mandchourie sont beaucoup plus importantes que la réduction de la base communiste, Chang Hsueh-Liang fait arrêter son propre chef Tchang Kai-chek, dans la nuit du 11 au 12 décembre, et lui propose un programme en huit points, prônant essentiellement l'arrêt de la guerre civile, la liberté politique et le front uni contre les Japonais. Le 13 décembre, Chang Hsueh-Liang envoie un avion prendre Chou En-lai à Yenan. Mais entre-temps est arrivé un télégramme, rédigé – dit-on – par Staline lui-même : l'arrestation de Tchang doit être mise sur le compte d'« agents japonais ». Le front national contre les Japonais doit être à tout prix maintenu et, aux yeux de Staline, seul Tchang Kai-chek peut en être le garant ; il faut donc le relâcher. Après plusieurs entrevues avec Chou, le Généralissime Tchang Kai-chek repart (mais en emmenant avec lui son officier félon qui restera son prisonnier jusqu'en 1962 !). Et malgré diverses autres tractations (encore assez obscures aujourd'hui, ni les historiens communistes ni les nationalistes n'ayant fait la lumière sur ces rencontres), le front uni sera surtout forgé, six mois plus tard, par le déferlement de l'armée japonaise sur les provinces chinoises, les massacres, les bombardements et la terreur qui s'ensuivront.
De l'« incident de Sian », l'iconographie chinoise a retenu une image montrant Mao et Chou En-lai, côte à côte devant le fuselage d'un avion. Chou est en combinaison d'aviateur et les légendes de cette photographie disent en substance : « Mao vient accueillir Chou sur l'aérodrome de Yenan après le règlement de l'incident de Sian. » En fait, cette photographie assez répandue dans les publications historiques n'est que la petite portion d'un cliché beaucoup plus large qui montre une quinzaine de personnes posant autour d'un avion mis à la disposition de Chou par Chang Hsueh-Liang. Et Mao n'est que l'un des dirigeants venu accueillir Chou à sa descente d'avion. Un détail agrandi et recadré peut donc prendre une tout autre tonalité politique.
Mais il y a mieux : on est parti de ce même cliché pour composer encore une autre version de l'événement. Chou En-lai est debout, seul, devant l'avion. On voit à sa position et aux détails de sa combinaison, qu'il s'agit exactement de la même silhouette qu'on a découpée dans la photographie d'origine, à laquelle on a ajouté la partie manquante du bras gauche, et qu'on a placée plus en avant du fuselage de l'avion, de façon à venir recouvrir exactement le pilote qui se tenait à cet endroit. Ainsi, selon que les historiens chinois veulent mettre l'accent sur le rôle de Chou En-lai ou sur celui de Mao, ils utilisent l'un ou l'autre cliché. Les deux versions coexistent d'ailleurs parfois, et même la version d'origine a fini par réapparaître dans les publications chinoises !

1. De gauche à droite : Chin Pang Hsien (Po Ku), Chang Wen-tian, Mao, Chou, Peng Te-huai, Lin Boqu et Xiao Chin-huang.
2. Luo Ruiqing, Lu Zhangcao, Wang Bingnan, Zhou Enlai and the Xi'an incident, an eyewitness account, Pékin, 1983.
3. Israël Epstein, From opium war to liberation, Pékin, 1956, réed. Hong Kong, 1980. Et numéro spécial à la mémoire de Chou, Minzu Huabao, n° 1, 1977. Voir aussi Hauts lieux de la Révolution chinoise, Pékin, 1985.

（590） 周恩来同志从西安回到延安时受到毛泽东等同志的欢迎。这是机场留影。左起：秦邦宪、张闻天、毛泽东、周恩来、彭德怀、林伯渠、肖劲光。

■ LE MÉGOT
ET SON OMBRE

A Yenan, en 1937, Mao pose avec
Chou-Teh, commandant en chef de
l'Armée rouge. Sur la version de ce cliché
qui figure aujourd'hui au musée de la
Révolution à Pékin et dans les livres
d'histoire, on peut certes voir exactement
les mêmes personnages. Mais un détail a été
modifié. Mao dissimule maintenant son bras
derrière son dos. Motif : la cigarette qui, aux
yeux des censeurs, ne sied pas à la dignité
d'un grand homme. Seul indice de ce petit
trucage, le retoucheur a oublié de corriger
aussi l'ombre de la main de Mao qui
dépassait derrière lui sur le sol.

(528) 毛泽东、朱德同志合影。

1. Yenan, 1937.
2. Musée militaire de la Révolution, Pékin. Minzu
Huabao, n° 8, 1977. Et Histoire illustrée de
l'armée populaire de Libération, vol. 1, Pékin,
1980.

■ DISSOUS DANS LE DÉCOR

En 1936, à Pao'an, dans le Chen-si du Nord, non loin de Yenan, Helen Forster Snow, première femme d'Edgar Snow, fait poser quatre des dirigeants de la révolution chinoise : Mao, Chou En-lai, Chou-Teh et Chin Pang-Hsien.

Chin Pang-Hsien, plus connu sous son nom de guerre Po-Ku, fit partie du fameux groupe des 28 bolcheviks formés à Moscou et qui, sous la direction du délégué du Komintern Pavel Mig, revinrent en Chine en 1930. Po-Ku, ami de Wang Ming, lui succède comme secrétaire général du parti de 1931 à 1935. Il s'oppose à Mao lors de la conférence de Tsunyi. Il est ensuite président du gouvernement soviétique du Nord-Ouest. A ce titre, il participe aux rencontres et aux accords sur le « front uni » avec Tchang Kai-chek après la capture du Généralissime. Puis il dirige l'agence de presse Hsinhua ainsi que le journal du parti. Il meurt dans un accident d'avion en avril 1946. En 1945, Mao avait déclaré que la politique de Po-Ku avait « coûté la vie à plus de communistes que d'ennemis ».

Les photographies d'Helen Snow paraîtront en Occident aussi bien dans ses propres ouvrages (qu'elle signe Nym Wales) que dans ceux de son mari. Les photographies des Snow diffusées dans le monde entier seront reprises après 1949 par les ouvrages historiques chinois, les brochures, les numéros anniversaires des revues. Elles figureront dans les musées à Pékin ou à Yenan. Ainsi cette photographie qu'on peut voir aujourd'hui au musée militaire de Pékin montre Mao, Chou-Teh et Chou En-lai. Mais là où figurait Po-ku, l'ancien adversaire de Mao, on ne voit plus que le montant de bois qui borde les fenestrages d'une des maisons de Pao'an. Po-Ku s'est dissous dans le décor et la teinte sombre de sa vareuse qui tranche avec celles de ses compagnons semble même avoir renforcé la couleur du panneau.

1. *Photographie de Helen Forster Snow (Nym Wales). Prise à Yenan en 1937.*
2. *Musée militaire de la Révolution, Pékin. Et* Histoire illustrée de la Chine moderne, *Pékin, 1980. Mais la version intégrale a tendance à réapparaître : voir* Hauts lieux de la Révolution chinoise, *Pékin, 1985.*

■ LE BON ORDRE
DE LA REVUE

Octobre 1944. Sur l'aérodrome de Yenan, Mao et Chou-Teh passent en revue leurs troupes. Lorsque le culte maoïste atteint son apogée, vingt-deux ans plus tard, au moment de la révolution culturelle, on reprend cette photo et on isole complètement Mao en coupant la partie où se trouve Chou-Teh et en repoussant le personnage de droite vers l'arrière. Pour ne pas avoir à retoucher la zone où se trouvait auparavant le personnage aussi bien que pour recentrer la composition, on a fait venir la silhouette de Mao à sa place. On en a profité pour remodeler son visage et faire ressortir certains détails comme les mains,

les poches ou les boutons de la vareuse. Toutes ces modifications de photographies, destinées à isoler le personnage de Mao dans le décor sont parmi les composantes les plus subtiles du culte de la personnalité : elles renforcent l'omniprésence et la majesté du héros, éliminent les seconds rôles et placent la silhouette principale au centre même du regard. La photographie, bien plus encore que l'écrit, façonne le mythe.

1. Wu Yinxian, Nan Ni Wan, Ed. du peuple de Shaanxi, 1975.
2. Agence Chine nouvelle, vers 1965.

■ LA PROCLAMATION
DE LA RÉPUBLIQUE POPULAIRE

1er octobre 1949. Mao, à la tribune de la
porte Tien An Men, annonce
solennellement la fondation de la
République populaire de Chine.
Déclenchée le 30 juin 1947, l'offensive des
communistes leur a permis de conquérir tout
le continent chinois en moins de deux ans.
Président du parti depuis 1945, Mao vient
d'être nommé président de la République,
poste qu'il conservera jusqu'en 1959.
Autour de lui, à la tribune, tous les chefs
historiques sont présents.
Des années plus tard, au moment où un
culte délirant de la personnalité se
développe autour de Mao, on isole son
personnage, comme s'il avait été seul ce

jour-là à la tribune, en recadrant ou en
effaçant les personnalités voisines, et on
colorie même cette photographie. Seul
Chou En-lai, le plus prestigieux des
dirigeants après Mao, aura droit au même
traitement – détourage et mise en couleurs –
au lendemain de sa mort (1976).

1. *Agence Chine nouvelle.*
2. *La Chine, n° 11, 1976.*
3. *La Chine, n° 1, 1977.*

■ PEINTURE ÉVOLUTIVE

Une célèbre toile de Dong Xiwen qu'on peut voir à Pékin au musée de la Révolution montre la cérémonie de la fondation de la République populaire de Chine. Mao se tient debout, un peu à gauche du centre de la toile.

Derrière Mao, le groupe des dirigeants du parti. Il y a là Chou En-lai, Chou-Teh et divers autres qui se trouvaient effectivement ce jour-là sur la tribune située au-dessus de la Porte de la Paix Céleste. Mais aussi Liou Shao-Shi, et Soon Ching Ling qui étaient peut-être présents, non loin de là, mais qui en tout cas ne figurent pas sur les photographies de presse de la cérémonie. Au moment où l'artiste chinois peint sa composition, vraisemblablement à l'occasion du 10e anniversaire de cette proclamation, Soon Ching Ling, veuve de Sun Yat-sen et jouissant de ce fait d'un grand prestige, vient d'être nommée vice-présidente de la République populaire. Quant à Liou Shao-Shi, il vient de succéder à Mao Tsé-Toung comme président de la république. Dong Xiwen a donc placé dans sa peinture au premier rang du groupe les deux principaux personnages de la Chine après Mao : l'un incarne la continuité avec l'œuvre de Sun Yat-sen, l'autre l'État.

1968 : chute de Liou Shao-Shi, une des principales victimes de la révolution culturelle. Son image disparaît de toutes les publications. Et les reproductions en couleurs de la toile de Dong Xiwen, qui circulent alors dans les brochures, la presse de propagande ou les livres d'histoire, sont recadrées juste après Soon Ching Ling.

Juillet 1981 : à l'occasion de la célébration du 60e anniversaire de la fondation du parti communiste chinois, Liou Shao-Shi, réapparaît sur les photographies historiques, toujours très près de Mao. Il réapparaît aussi sur les reproductions de la toile de Dong Xiwen. Mais on remarque que divers détails ont été changés. Et surtout, à l'extrême droite du groupe, un nouveau personnage est apparu, repeint par dessus la balustrade et les chrysanthèmes roses. Raide, visage carré, grand front, amorce de bajoues, on n'a aucun mal à reconnaître un portrait du successeur de Mao, Hua Kuo Feng. Il n'avait que 28 ans en 1949, et n'était pas à la cérémonie. Mais, accédant au pouvoir suprême, il entre dans la légende de l'histoire, et un de ses premiers soins est de s'inscrire dans le groupe des « pères fondateurs », quitte à se vieillir quelque peu.

1. Agence Chine nouvelle, vers 1950-1955.
2. La Chine, n° 7, 1981. Et musée de la Révolution, Pékin.

■ LA VENGEANCE DE MADAME MAO

1958. C'est l'époque du « Grand Bond en avant ». Mao, président de la République et Peng Chen, maire de Pékin, donnent l'exemple en se faisant photographier, pelles à la main, sur le grand chantier du réservoir des tombeaux Ming près de Pékin.

Proche de Liou Shao-shi, Peng Chen a eu plusieurs fois l'occasion de critiquer et de ridiculiser les débordements grotesques du « culte de la personnalité ». Bien plus, il commence à préparer, dès 1961, un dossier sur la faillite du « Grand Bond en avant » et sur les erreurs de Mao. A la suite d'une série d'intrigues, de manœuvres et de coups stratégiques dignes de la Chine ancienne, Mao réussit à renverser l'équilibre des forces politiques et à reconquérir le pouvoir absolu : c'est la « révolution culturelle » qui, comme le dit Simon Leys, « n'eut de révolutionnaire que le nom, et de culturel que le prétexte tactique initial ». Peng Chen en sera une des premières victimes, au printemps 1966. Cette année-là, il est l'objet de violentes attaques dans la presse du parti. On l'accuse d'avoir fomenté un coup d'État contre Mao, et le 4 décembre, on l'arrête à la demande de Chiang Ching, l'épouse de Mao Tsé-Toung. Le 18 décembre, au stade des Ouvriers de Pékin, Peng est exposé pendant six heures, en compagnie de plusieurs de ses co-inculpés, à un meeting de 10 000 gardes rouges furieux, encouragés par les dirigeants qui se tiennent dans les tribunes.

La disgrâce de Peng Chen peut s'interpréter de diverses façons, selon qu'on prend en considération, dans l'analyse de la révolution culturelle, les motivations politiques (en fait, de violentes et sordides luttes de factions pour le pouvoir dictatorial), culturelles (le théâtre comme prétexte à des règlements de comptes), ou les intrigues de palais (la vengeance de Chiang Ching). Peng Chen avait écondui à plusieurs reprises la femme de Mao lorsque celle-ci lui avait demandé de faire jouer des opéras révolutionnaires sur la scène du prestigieux opéra de Pékin. Au cours d'un banquet, rapporte une des biographes de Chiang Ching, Roxane Witke, Chiang Ching prend Peng Chen à part et, le livret d'un opéra à la main, lui demande de lui confier la troupe de l'opéra de Pékin « pour la réformer personnellement ». Furieux, Peng Chen lui arrache le livret des mains et l'envoie au loin, conseillant à Chiang Ching de « prendre une position forte » avant de revenir lui faire une pareille demande. Ironie du sort, moins d'un an après cette scène humiliante pour la femme de Mao, c'est Peng Chen lui-même qui se

113

retrouve à genoux, au stade de Pékin, aux pieds même de Chiang Ching.

Peng Chen, ni pire ni meilleur que tant de ses compagnons de lutte (il avait été responsable de bon nombre de liquidations et de procès sommaires au cours des années révolutionnaires), était-il alors un authentique défenseur de l'opéra de Pékin, ou bien s'était-il seulement cabré contre l'intrigante Chiang Ching ? On ne le sait pas, pas plus qu'on ne sait pourquoi exactement Chiang Ching s'est acharnée pendant tant d'années contre l'opéra de Pékin, et cela jusqu'à l'éradication presque totale de son répertoire traditionnel. Toujours est-il que de cette scène édifiante réunissant Mao et Peng parmi les terrassements du futur grand barrage de Pékin, on ne retient plus, à partir de la révolution culturelle, qu'une version retravaillée, plus conforme à la rancune de Chiang Ching. Mao est désormais seul au premier plan. Peng s'est évanoui dans la foule. On a réutilisé son pantalon et même une partie des plis de sa chemise pour composer les vêtements du personnage à casquette proche de lui. On a légèrement recadré le cliché vers Mao, et, pour alléger la composition, effacé le visage et le bras du personnage qui tenait le panier où les deux hommes déversaient leur symbolique pelletée de lœss. On remarque aussi un autre détail : le calot militaire du personnage situé juste au-dessus de la tête de Mao a été transformé en casquette. Peut-être s'agit-il d'un calot de l'armée soviétique. Entre la première et la seconde version de la photographie, il y a eu en effet la dégradation des rapports avec l'Union soviétique, le retrait des techniciens russes, l'esclandre de Chou En-lai au XXIIe congrès du PCUS, et la crise de l'été 1963.

1. *Agence Chine nouvelle, 1958.*
2. *La Chine, n° 11, 1976. Légende : « Le président Mao participe au travail bénévole sur le chantier de construction du réservoir des Treize Tombeaux des Ming, en 1958. »*

■ DANS LA JEEP

Au cours de l'été 1966, Mao passe en revue les gardes rouges venus de toute la Chine et rassemblés à Pékin. La photographie illustrant l'événement reparaîtra fin 1976 dans les albums et les numéros spéciaux de revues consacrés à Mao juste après sa mort. Puis, un an plus tard, on la montre à nouveau. Mais il y a cette fois un personnage de plus dans la jeep.

Entre la fin de 1976 et le milieu de 1977, la « bande des quatre » a été éliminée et plusieurs des victimes de Chiang Ching

réhabilitées. C'est le cas de Peng Chen, l'ancien maire de Pékin qui réapparaît en public, et en même temps revient sur les photographies d'où il avait été éliminé. Il reprend donc sa place à côté de Mao dans cette image montrant une de ses dernières sorties publiques avant sa disgrâce de l'hiver 1966.

1. *Littérature chinoise, n° 11-12, 1976. Et La Chine, n° 11, 1976.*
2. *La Chine, et Minzu Huabao, n° 8, 1977.*

115

■ ÉLIMINATION
DU « KHROUCHTCHEV CHINOIS »

Liou Shao-Shi, membre du comité central depuis 1927 avait succédé à Mao à la présidence de la République populaire de Chine. Théoricien jouissant d'un grand prestige, il est aussi assez proche du gouvernement d'Union soviétique. Mais au moment de la révolution culturelle, il est violemment attaqué pour son pragmatisme. Dénoncé comme le « Khrouchtchev chinois » dans le courant de l'année 1968, il est destitué de toutes ses fonctions et jeté en prison où, soumis à des tortures, il serait mort en novembre 1969. Après la mort de Mao et l'élimination de la « bande des quatre », son nom et son image sont revenus dans les journaux, et les livres chinois.

Parmi les dizaines de clichés d'où, au cours de la révolution culturelle, Liou Shao-Shi a été effacé, celui-ci montre une retouche particulièrement absurde. Liou, au second plan, flou, est parfaitement méconnaissable. Seuls ceux qui se trouvaient présents dans la salle, ce jour-là, peuvent à la rigueur se souvenir que Liou se trouvait à côté de Mao. Mais le pouvoir d'effacement doit montrer jusqu'au bout sa toute-puissance en gommant même des fragments informels. Le message du retoucheur trouve toujours son destinataire.

1. Yenan, avril 1945. La Chine, n° 7, 1981.
2. La Chine, n° 1, 1977.

■ LE PORTRAIT OFFICIEL

Il y a eu en Chine entre 1949 et 1976 plusieurs portraits officiels de Mao. Le dernier portrait date du début des années soixante. Le visage lisse à peine empâté est impassible. Une auréole de cheveux disciplinés encadre le large front. Au cours des années, selon les publications, le fond varie – blanc, gris foncé, noir – les ombres sont plus ou moins accentuées, une légère anamorphose horizontale amaigrit ou au contraire élargit le visage. Mais ce sont toujours le même visage, les mêmes ombres, la même vareuse au col strict fermé d'un bouton rond à quatre trous cousu de fil gris assorti à la vareuse. On est sans doute parti d'une photographie mais, au cours des années, on l'a repeinte, agrandie, reproduite à la main ou mécaniquement par toutes sortes de procédés, et même souvent mise en couleurs et tirée ensuite au format d'affiches géantes. Dernier indice clair de ces retouches incessantes : sur le portrait publié fin 1976 peu après la mort de Mao – fond blanc, visage mince – on a rectifié le liseré blanc du col de chemise dont un côté apparaissait légèrement décalé sur les versions antérieures. Ainsi l'icône du vieux dictateur, sans cesse reprise, améliorée, amoureusement peaufinée, atteint-elle à la mort de son modèle, par la simple correction de ce dernier et infime détail, sa forme symétrique définitive, parfaite, divine en quelque sorte.

1. *Frontispice des* Ecrits militaires de Mao Tsé-toung, *Pékin, 1964.*
2. *Couverture de* Minzu Huabao, *n° 11, 1976.*

■ « LE PLUS PROCHE COMPAGNON D'ARMES »

Parmi les nombreux montages photographiques de la révolution culturelle plusieurs montrent « Mao et Lin Piao à Yenan ». En réalité il n'existe aucune photographie de l'époque de Yenan montrant les deux hommes côte à côte. Ils ne figurent que dans quelques clichés de groupe et d'ailleurs souvent assez éloignés l'un de l'autre.

Or au moment de la révolution culturelle, Lin Piao, ministre de la Guerre depuis 1959 et qui, après avoir réussi à éliminer son principal rival Peng Teh-huai, a transformé l'armée en une arme politique au service de Mao, devient « le plus proche compagnon d'armes et successeur du président Mao ». On fabrique alors des documents montrant que cette amitié, cette proximité, cette filiation remontaient aux années de lutte contre les Japonais.

Dans ce montage, la silhouette de Mao a été empruntée à une photographie prise en 1936 à Pao'an (due à Nym Wales) ; celle de Lin Piao est vraisemblablement inspirée d'un cliché appartenant à la même série et où l'on voit Lin Piao avec son état-major. Un fond assez neutre de feuillages – qui change d'ailleurs selon les versions distribuées à la presse à cette époque – cimente la composition.

A partir de la révolution culturelle, toute photographie officielle de Mao montre aussi Lin Piao. Ainsi lorsque Mao reçoit Edgar Snow en 1970, Lin Piao est à ses côtés, brandissant le petit livre rouge. Mais la même année, Lin Piao qui briguait la présidence de la République, est mis en minorité au comité central (août-septembre 1970). Il disparaît en septembre 1971 dans les circonstances les plus mystérieuses : son avion aurait été abattu ou aurait eu un accident, alors que, selon la version officielle, il tentait de s'enfuir vers l'Union soviétique Aussitôt son image qui figurait encore dans les journaux et revues en août 1971 est partout effacée et les photographies reparaissent retouchées ou bien recadrées. C'est le cas pour cette rencontre entre Mao et Edgar Snow.

1. Photographie prise à Pao'an en 1936 par Helen Forster Snow (Nym Wales), et publiée pour la première fois dans Red star over China, *Londres, 1937.*
2. Agence Chine nouvelle, vers 1966-1968.
3. Agence Chine nouvelle, vers 1968-1970.
4. La Chine, n° 7-8, 1971.
5. Histoire illustrée de la Chine moderne, Pékin, 1980.

■ « LA BANDE DES QUATRE »

Mao est mort le 9 septembre 1976. Le 18 septembre, sur la place Tien An Men, les dirigeants chinois observent trois minutes de silence à sa mémoire devant une foule considérable. La photographie montrant l'alignement d'une vingtaine de personnalités paraît dans toute la presse, en Chine comme à l'étranger.

Quelques jours après la cérémonie, les maoïstes ultras sont mis en minorité par le nouveau maître de la chine, Houa Kuo-Feng. La veuve de Mao, Chiang Ching, et trois membres du « groupe de Shanghaï », Yao Wen-yuan, Chang Chun-chiao et Wang Hong-wen, sont désignés comme la « bande des quatre » et deviennent les ennemis exécrés du nouveau pouvoir et le symbole de toutes les déviations et de tous les complots.

Aussi, dès novembre 1976, les Chinois et les observateurs étrangers découvrent que les images de la « bande des quatre » ont été effacées des photographies officielles. Mais, dans le cas de cette photographie, on n'a même pas cherché à resserrer les silhouettes des dirigeants comme on l'avait fait tant de fois auparavant pour d'autres photographies russes ou chinoises. La gouache qui noie les quatre silhouettes dans le fond uniforme ne prétend pas dissimuler le trucage. Elle laisse au contraire les places vides, béantes, comme pour mieux encore désigner l'effacement (dans la légende, à la place de leurs noms, on lit XXX !). Une façon frappante de légitimer le nouveau gouvernement, d'étaler sa force et son arrogance, de montrer son pouvoir absolu sur les images.

1. *Pékin information, n° 38, 20 septembre 1976.*
2. *La Chine, n° 11, 1976. Deux autres photos des obsèques sont retouchées.*

120

■ AU MILIEU DE SES AMIS

« Le président Mao au milieu de ses amis d'Asie, d'Afrique et d'Amérique latine en 1959. » La photographie, signée Heou Po et publiée à plusieurs reprises entre 1959 et 1976, montre une joyeuse bande cosmopolite entourant un Mao hilare. Même si cette gaieté tiers-mondiste a l'air quelque peu forcée, voilà une photographie de prime abord bien innocente. A l'époque, des milliers de responsables africains et sud-américains, ministres, représentants de

partis ou de syndicats, intellectuels, étudiants, passent par Pékin, sont invités à des réceptions fastueuses, à des banquets immenses, à des circuits touristiques interminables. Au cours de ces années, la photo-souvenir avec le président est l'une des étapes rituelles de ces marathons, au même titre que la visite des aciéries d'An Shan, de la brigade agricole modèle de Tatchaï ou du canal Drapeau Rouge. Mao meurt le 9 septembre 1976. Dans l'édition anglaise du numéro spécial du magazine *China* qui paraît quelques semaines plus tard, on choisit pour illustrer cette période, cette photographie, sans doute parmi des centaines d'autres. A quelques jours de là, paraît l'édition française de la même revue. Entre-temps, il y a eu l'élimination de la « bande des quatre » et plusieurs photographies de ce numéro spécial sont modifiées. Or cette image, qui, pour nous, n'a pas de rapport apparent avec la « bande des quatre », se retrouve très étrangement remodelée. On l'a recadrée, éliminant du même coup onze personnages. On a gouaché un douzième personnage, celui qui se trouve à la droite de Mao, un peu en arrière de lui. On a gouaché divers autres détails : le bord du visage de celui qui se trouve en bas à gauche de la photographie, le mégot entre les doigts de la main qui repose sur l'épaule du personnage en costume sombre à droite du cliché. Et on a repeint les motifs de la robe du personnage féminin à gauche. Et, peut-être pour montrer que c'est tout à fait délibérément que certains sont effacés, le personnage situé en bas, à droite du cliché, et qui normalement devait être mutilé par ce nouveau cadrage, a été découpé et ramené vers la gauche afin de tenir dans ce champ plus étroit. A partir d'une photographie qui contenait vingt-trois personnages, on aboutit à une autre qui n'en contient que onze. Il ne nous est pas possible de dire pourquoi on a eu recours à ces recadrages et ces effaçages, ni de lier tel ou tel personnage à un complot, ou à une des intrigues de la « bande des quatre », ni même de rapprocher ces personnages d'un fait historique qui, par exemple, porterait ombrage à la mémoire du président. Il y a là sans doute tout un réseau d'allusions ésotériques qui, à l'époque où la photographie a paru, ont dû trouver leurs destinataires. Des remaniements purement esthétiques ne sont pas exclus.

1. Photographie de Heou Po. Une première version, plus large dans Photo de Chine, Pékin, 1963. Une seconde recadrée (ici montrée) dans China, n° 11, 1976.
2. Minzu Huabao, n° 11, 1976 et La Chine, n° 11, 1976.

■ LA CHEVAUCHÉE DE L'OUBLI

La femme de Mao s'était elle-même
attachée, dit-on, à faire disparaître les uns
ou les autres des photographies historiques.
Un des premiers gestes du nouveau pouvoir
est de l'effacer à son tour.
C'est le cas pour cette célèbre
photographie : Mao, au centre d'un petit
détachement de guerriers à pied,
chevauche, sur son poney blanc à travers le
Chen-si du Nord, en 1947. Derrière lui, on
aperçoit la mince silhouette de sa femme
Chiang Ching, elle aussi à cheval. Dès
novembre 1976, à peine quelques jours
après la mort du vieux dictateur et la chute
de la « bande des quatre », la photographie

paraît avec une légère retouche : on a fait
disparaître Chiang Ching dans les
montagnes du fond. Le petit cheval blanc
de Mao est aujourd'hui empaillé dans une
vitrine au musée de Yenan où l'on peut voir
aussi cette photographie retouchée qui en
Chine aujourd'hui symbolise le plus souvent
la guerre révolutionnaire. Elle est d'ailleurs
parfois datée abusivement de douze ans plus
tôt et légendée « Mao pendant la Longue
marche ».

1. *Auteur inconnu. Musée de Yenan. Nombreuses
publications.*
2. *Minzu Huabao, n° 11, 1976. Littérature
chinoise, n° 11-12, 1976. Histoire illustrée de la
Chine moderne, Pékin, 1980.*

Du « Coup »
au « Printemps » de Prague

Février 1948. À la faveur d'une crise politique, le parti communiste tchécoslovaque s'empare du pouvoir. C'est ce qu'en Occident on appellera le « Coup de Prague », véritable détonateur de la « guerre froide ». En quelques jours, les autres partis, qu'ils soient tchèques ou slovaques, sont exclus du gouvernement, puis bientôt interdits. Les frontières sont fermées. La Tchécoslovaquie devient, sous la direction de Klement Gottwald, une démocratie populaire rattachée au bloc soviétique. Les journaux sont mis au pas, la censure instaurée. Des milliers d'opposants sont emprisonnés. Bientôt commencent des vagues de procès et on ouvre des camps. On élimine d'abord l'opposition politique, puis le clergé ; on épure l'armée. Mais, très vite, c'est dans les rangs du gouvernement et du parti communiste qu'on recherche les « traîtres », « titistes », « agents américains » ou « sionistes ». On finit par s'acharner sur quelques personnages choisis. Soumis à la torture, exhibés dans des procès interminables devant des foules fanatisées, poussés à d'incroyables confessions exemplaires, la plupart des victimes de ces étranges mises en scènes rituelles sont condamnées à mort. Leurs images disparaissent aussitôt des photographies historiques, alors que celles de Gottwald et des dirigeants proches de lui sont retouchées, repeintes, améliorées et séparées des voisinages gênants.

1968. C'est le « Printemps de Prague », une vague de libéralisation sans précédent dans aucune démocratie populaire. Mais l'« ordre » est rétabli par l'entrée des chars soviétiques sur le territoire tchèque : dans les mois qui suivent, la « normalisation » s'applique dans tous les domaines, y compris dans celui des images photographiques. Au cours des semaines animées du « Printemps de Prague », au moment où la presse connaissait une relative liberté, un des premiers gestes des journalistes tchèques avait été de publier, dans leur version originale comme dans leur version retouchée, un grand nombre de clichés connus. Fait unique dans la chronique mouvementée des pays de l'Est, ce printemps-là, les Tchèques avaient découvert avec stupeur les falsifications de leur propre histoire.

Prague, place de la Vieille-Ville, 21 février
1948. La crise politique est ouverte : au
lendemain de la démission des onze
ministres non communistes, le Premier
ministre Klement Gottwald appelle à la
formation de Comités d'action. Les
ministres démissionnaires pensaient
déclencher des élections anticipées. Mais
profitant de la situation et tenant
parfaitement Prague en main grâce à un
noyautage de la police assuré depuis des
mois déjà, Gottwald et le parti communiste
tchèque mobilisent le pays, contrôlent la
presse et annihilent toute opposition. En
quatre jours, après d'énormes
manifestations, le pouvoir est pris. Le 25
février, un nouveau gouvernement est
nommé, entièrement composé de
communistes ou de proches. Un seul
non-communiste, Jan Masaryk, conserve la
charge de ministre des Affaires étrangères :
c'est le fils de Thomas G. Masaryk, artisan
de l'indépendance de la Tchécoslovaquie et
premier président de la République
tchécoslovaque. Masaryk a des altercations
parfois violentes avec ses collègues du
gouvernement. Au cours des deux semaines
qui suivent, il est de plus en plus consterné
par ce qu'il voit autour de lui. Le 10 mars, il
est retrouvé mort sur les pavés, au pied du
palais Černín. Suicide symbolique évoquant
la fameuse défenestration de Prague (1618)
ou crime policier ? La vérité n'a jamais pu
être vraiment établie et il y a des arguments
aussi solides en faveur des deux thèses.
Masaryk n'était que le premier d'une longue
liste de suicidés et d'exécutés. Aux purges
gigantesques de l'année 1948 (élimination
des partis « bourgeois ») devaient succéder
des vagues de « coups » politiques et de
procès à grand spectacle (général Pika et
chefs militaires, janvier 1949 ; procès du
groupe Horáková, juin 1950 ; procès des
prélats catholiques, décembre 1950 ;
« découverte » du réseau dirigé par Sling,
février 1951 ; destitution, arrestation,
torture, procès et exécution de Slánský et de
son « groupe », de septembre 1951 à
décembre 1952 ; procès des autres
« complices » de Slánský, mai-décembre
1953 ; procès des nationalistes « bourgeois »
slovaques, avril 1954).
Aux côtés de Gottwald, sur les
photographies de l'appel historique du
21 février, il y avait Vladimír Clementis
(l'homme au chapeau, à demi caché par les
micros, 1). Intellectuel slovaque, membre
du comité central du parti communiste
tchèque, Clementis, secrétaire d'État aux
Affaires étrangères du précédent
gouvernement, assure le poste de ministre

des Affaires étrangères dans le nouveau cabinet. En février 1952, il est accusé d'« intelligence avec l'ennemi » dans le cadre de l'affaire Slánský, condamné à mort et pendu le 3 décembre 1952 avec onze autres accusés. On efface alors Clementis des photographies. Avec un acharnement dont témoignent ces photographies prises au même instant : on repeint le fond derrière Gottwald pour effacer le photographe et on rapproche de lui le groupe des micros qui vient ainsi recouvrir le visage de Clementis (3) ; ou bien, d'une photo prise sous un autre angle, on ne garde que la silhouette de Gottwald (4) ; ou encore, on retourne la photo et on rend méconnaissable le visage de son voisin en le noyant dans un brouillard gris (2).

1. Presse tchèque et Walter Storm, The Crisis, Prague, 1948. Version très proche dans la brochure Les événements de février 1948, Prague, mai 1948.
2. Vaclav Husa, Dejiny Československá, Prague, 1961.
3. Version retouchée de 1953. Musée Klement Gottwald, Prague.
4. Karel Král, La Tchécoslovaquie pays du travail et de la paix, Prague, 1953.
Même photographie dans Jaroslav Dvořáček et Antonín Novák, Ten years of the new Czechoslovakia, Prague, 1955. Et Musée Gottwald, Prague. Il s'agit exactement du même point de vue que la photo 3 mais le cliché est imprimé à l'envers dans les livres tchèques.

Une tribune à Prague, le 25 février 1948. Plusieurs dirigeants proches de Gottwald s'adressent à tour de rôle à la foule massée sur la place Saint-Wenceslas. On attend Gottwald, parti au Hradschin présenter au président Edvard Beneš la liste des ministres de son nouveau gouvernement. Parmi les orateurs, de gauche à droite, Václav Kopecký (il deviendra le jour même ministre de l'Information, celui qui, justement, va organiser la censure de la presse et le trucage des photographies), Josef Krosnář (le président du Comité central du parti communiste pour la ville de Prague) et le professeur Zdeněk Nejedlý (le ministre de l'Éducation qui, dès le lendemain, épure sauvagement l'Université et dont un des premiers gestes sera d'ordonner que le portrait de Staline soit accroché au mur de chaque salle de classe dans tout le pays). Le ministère de l'Information donnera quatre ans plus tard une version de cette photographie plus conforme au destin des divers participants. Un recadrage élimine les cinq chapeaux du premier plan. On fait disparaître dans le vélum du fond non seulement les fragments de visages ou de chapeaux qu'on peut voir çà et là derrière les quatre personnages principaux, mais aussi deux visages entiers dont celui de Marie Švermová qui se trouvait entre Krošnar et Nejedly. Député de Prague, veuve d'un dirigeant mort pendant la Résistance, Švermová sera arrêtée à peine trois ans plus tard et accusée d'avoir participé à un « complot » monté par Otto Šling pour éliminer Gottwald. Emprisonnée, torturée, elle sera libérée en 1956 et réhabilitée en 1963 pour être à nouveau exclue du parti deux ans après les événements de 1968.

Sur une autre photographie prise au cours de la même manifestation, on voit seulement Nejedly de profil devant le micro. Face au photographe, un officier. C'est peut-être le général Boček, chef d'état-major du ministre de la Défense Ludvík Svoboda. Plutôt russophile comme Svoboda et donc assez proche des communistes, Boček reste fidèle pendant tout le « Coup ». Mais on le révoque peu après, on l'arrête et il meurt en prison. De nombreux autres cadres de l'armée seront aussi exécutés à l'issue de procès truqués qui s'étaleront de 1948 à 1952, et effacés comme Boček des principales photographies historiques. Ainsi la version remaniée de cette photographie montre Nejedly seul à la tribune. L'officier, manteau, casquette, boutons et gants de peau s'est subtilement fondu dans les plis du drapeau rouge qui bordait la tribune.

1 et 3. *Presse tchèque, février 1948.*
2 et 4. *Les formes retouchées se trouvent au musée K. Gottwald, Prague. Autres images retouchées des tribunes de février dans l'ouvrage de Miroslav Bouček, Praha v'únoru 1948 (Prague en février 1948), Prague, 1963.*

Cette scène a été enregistrée le 27 juillet 1948. Un mois auparavant, le président Edvard Beneš, qui n'approuvait pas la nouvelle constitution proposée par les communistes, a démissionné (il mourra moins de trois mois plus tard). Il a aussitôt été remplacé par Klement Gottwald qui depuis le « coup de Prague » assurait la présidence du Conseil. La photographie montre Gottwald en train de signer la loi sur les coopératives en présence du président du Conseil central des coopératives, A. Zmerhal (à gauche) et du responsable du plan biennal, E. Outrata (à gauche, avec des lunettes). Autour de Gottwald, il y avait six hommes, la censure n'en laissera que deux. Dans ce cas, il ne semble pas la retouche ait eu d'autre motif que protocolaire. La photographie était sans doute trop chargée et ne donnait pas une atmosphère assez solennelle à la cérémonie. On a donc gouaché ceux qui n'étaient pas absolument nécessaires. Cet effaçage a cependant quelque chose de prémonitoire puis que le Dr E. Outrata sera éliminé au cours de la vague de procès et d'exécutions de 1952.

L'artiste chargé de la retouche de cette photographie a reconstitué le décor que cachaient les quatre hommes : les dorures du palais, les appliques murales, le guéridon d'acajou poli avec ses reflets, le cadre rococo du miroir et même l'énigmatique et trouble profondeur du reflet dans le miroir.

■ LE RETOUR DU SOCIAL-DÉMOCRATE

En Tchécoslovaquie comme en Union soviétique au cours des années précédentes, la retouche ne se borne pas à transformer les images du nouveau régime, elle remonte aussi loin qu'il le faut dans la chronologie pour donner de l'histoire passée une vision conforme à la ligne présente. Ainsi un cliché de presse d'apparence banale montre le retour à Prague, en mai 1945, d'un groupe venant de Košice, en Slovaquie, zone alors soviétique où se trouvait le gouvernement tchèque en exil. Au centre, Zdeněk Fierlinger, jusqu'alors ambassadeur en URSS. On efface des personnages et les détails incongrus comme la casquette d'un militaire qui coiffait Fierlinger.

Président du parti social-démocrate, mais considéré par tout le monde à cette époque comme un communiste caché, Fierlinger fut président du Conseil en 1945 et 1946. Il fut le principal responsable de la liquidation du parti social-démocrate et de sa fusion dans le parti communiste. Son double jeu lui valut non seulement de subsister à des postes importants jusqu'en 1964, mais encore de surnager seul dans l'impitoyable gouache grise qui, sur les photographies, noya tant d'autres silhouettes de l'histoire tchèque.

1. Publiée par les journalistes tchèques en 1968.
2. Dans l'ouvrage de Zdeněk Fierlinger, Od Mnichova po Košice, 1939-1945, (De Munich à Košice), Prague, 1946, on trouve plusieurs autres photographies qui, elles aussi, seront plus tard expurgées, dont une montrant ce même retour sous un autre angle.

1. La version originale a été publiée en 1968 par les journalistes tchèques.
2. La version retouchée se trouve au musée K. Gottwald à Prague et aux archives de l'Institut du marxisme-léninisme.

■ EN DESCENDANT DU TRAIN

Les purges et les exécutions sommaires commencent discrètement en Tchécoslovaquie, quelques jours à peine après le Coup de Prague. Mais dès le mois de mai, démarrent des procès plus spectaculaires. Des titres tapageurs dans les journaux annoncent : « La condamnation d'un traître à la patrie », « Une vaste affaire d'espionnage en Slovaquie », « Une bande de terroristes sous les verrous », « Ils voulaient la guerre pour que les capitalistes puissent de nouveau exploiter notre peuple », « Vendus à l'impérialisme occidental, ils voulaient détruire la République », « Le peuple juge la haute trahison », etc.

Des milliers de gens sont arrêtés, des centaines de procès planifiés. Les prisons sont surpeuplées. Les exécutions se succèdent. Parmi les premiers éliminés, les militaires qui avaient participé à la lutte contre les nazis, comme le commandant Zingor ou le général Pika. En fait, le nouveau pouvoir communiste élimine en quelques mois pratiquement tous les cadres de l'armée à la personnalité un peu forte et qui auraient pu résister un jour à la dictature.

En témoigne une photographie, parmi cent autres. Elle a été prise en 1948 au cours d'une tournée de Klement Gottwald en Slovaquie. Le Premier ministre vient de descendre du train et se tient debout sur le tapis déroulé à cette occasion. Derrière lui, diverses personnalités dont le président du Parlement Otto John (à droite). Et peut-être surtout un de ces officiers supérieurs qui, dans le courant même de l'année, devinrent si vite suspects aux yeux du régime.

La censure fera disparaître ce fond encombrant et rendra Gottwald à la solitude sacrée du pouvoir, non sans avoir aussi arrangé la manche droite de son manteau qui rebiquait de fâcheuse manière.

1. *Version originale publiée par les journalistes tchèques en 1968.*
2. *Musée K. Gottwald, Prague. Et agence CTK.*

■ RÉCEPTION
AU PALAIS ČERNÍN

Cette photographie a été prise lors d'une réception à Prague d'une délégation soviétique conduite par le maréchal Boulganine, alors ministre de la Défense d'Union soviétique. Le président Klement Gottwald pénètre dans une pièce en compagnie de l'imposante madame Gottwald. Derrière seulement arrive le maréchal. Mais un ministre et maréchal de l'Union soviétique ne peut en aucun cas apparaître *au second plan*, même dans la presse d'un pays satellite. On préfère donc le faire disparaître derrière le rideau noir d'un fond repeint. Recadrée, débarrassée d'un personnage qui, effleurant le bord de la nouvelle image risquerait par son intimité avec madame Gottwald, de polluer l'isolement des personnages, la photographie paraîtra ainsi.
Photographie des plus banales, certes. Ce n'est qu'un instant d'une soirée officielle au Palais Černín en 1950. Qui pourrait la suspecter ? Si elle est trafiquée, elle n'est pas vraiment le produit d'une censure : il ne s'agit pas d'effacer le ministre soviétique mais, au contraire, de ne le faire apparaître (éventuellement sur une autre photographie) que dans la position et l'environnement qu'exige son rang.

1. Version originale rendue publique par les journalistes tchèques en 1968.
2. Musée K. Gottwald, Prague. Agence CTK.

■ PARADE ET PROTOCOLE

En 1951, le président tchèque Klement
Gottwald reçoit à Prague le maréchal
soviétique Koniev, le vainqueur du Dniepr.
Tous deux sont présents à la tribune lors
d'une parade militaire. Mais le prestigieux
maréchal a laissé traîner un petit doigt
négligent ! Du coup les retoucheurs effacent
sa main, son avant-bras, et, en toute
logique, sont obligés d'effacer aussi ceux de
Gottwald. On en profite alors pour rouvrir
un peu l'œil de Koniev saisi par l'instantané
dans un clignement disgracieux. Et paraît
ainsi dans la presse cette image aux
retouches imperceptibles, une image
d'autant plus irréfutable qu'elle est tout à fait
banale.

1. *Version originale rendue publique par les
journalistes tchèques en 1968.*
2. *Agence CTK et agence Tass, 1951.*

■ LE PRINTEMPS DE PRAGUE

Prague, 30 mars 1968. Cérémonie officielle au Hradschin devant l'église Saint-Vit (Saint-Guy). Il y a là, côte à côte, Josef Smrkovský, qui sera bientôt président de l'Assemblée nationale, Alexandre Dubček, secrétaire général du parti communiste depuis 5 janvier et Ludvík Svoboda, qui vient, le jour même, d'être nommé président de la République. Ces trois personnages sont en quelques semaines devenus les hommes politiques les plus populaires de Tchécoslovaquie : ils représentent les courants libéraux qui viennent de renverser Antonín Novotný. Successeur de Gottwald à la tête du parti, en 1953, puis successeur de Zápotocký à la présidence de la République, Novotný, l'un des dirigeants les plus rigides des démocraties populaires a, en 1967, réprimé sévèrement les étudiants, attaqué les écrivains tchèques et s'est opposé à toute réforme économique. A tel point que pour la première fois dans un des pays de l'Est, le pouvoir est tombé de lui-même. Et c'est, sous Dubček, une sorte de retour à la démocratie. Liberté de conscience, de réunion, d'association, de circulation, droit de grève, indépendance de la justice sont garantis par le nouveau gouvernement. C'est le « printemps de Prague » qui s'accompagne d'une extraordinaire créativité politique et d'une intense ébullition intellectuelle : journaux, revues, débats publics et radiophoniques. Mais aussi, en revanche, violentes attaques de la presse d'Union soviétique qui accuse le nouveau régime de faire le jeu des « ennemis du socialisme ». En mai et juin, la tension monte. En juillet, Leonid Brejnev, et les « partis frères » menacent. Le 23 juillet, les réservistes soviétiques sont rappelés et les attaques de la presse soviétique redoublent. Le 20 août, les colonnes de blindés franchissent la frontière. A l'aube du 21 août, des parachutistes capturent Dubček, Smrkovský, Cerník et les emmènent en avion vers une prison secrète en URSS, tandis que Svoboda est gardé prisonnier au Hradschin. Immédiatement Svoboda négocie la libération de Dubček et ce sont, le 26 août, les accords de Moscou, suivis de la « normalisation ». C'est-à-dire la remise dans l'ordre socialiste sous occupation soviétique. Des milliers de personnes quittent le pays, des milliers de fonctionnaires sont limogés. Beaucoup seront poursuivis et emprisonnés. 500 000 personnes sont exclues du parti ! La censure est rétablie. Les dirigeants les plus populaires sont éliminés par Gustáv Husák, l'homme qui, un an avant, faisait l'apologie du « printemps de Prague » et qui sera le premier « normalisateur » de Tchécoslovaquie. Exclu du présidium du parti et du Parlement, Dubček est envoyé comme ambassadeur en Turquie. Mais, même à ce poste, il attire encore trop de regards. On le rappelle et on le relègue en province en lui imposant des emplois subalternes (chauffeur, jardinier…).

La normalisation ne devait pas manquer d'affecter aussi les images. Ainsi, de cette réunion des trois hommes de Prague au printemps de 1968, la nouvelle censure ne retiendra, à partir de 1969, qu'une version savamment remaniée. Dubček a disparu. Svoboda s'est rapproché de Smrkovský. Il a fallu pour cela ménager une minutieuse découpe entre les bâtiments et faire glisser les deux parties de la photographie l'une dans l'autre comme des praticables de théâtre. La maison du fond vient recouvrir une partie de la façade de l'église Saint-Guy, ne biaisant que légèrement la perspective (on remarque cependant que le carrelage de la place n'est plus très satisfaisant et que Smrkovský se tient maintenant très en retrait de Svoboda). Et Dubček, lui, disparaît derrière Svoboda dans ce repli secret, dans cette chausse-trappe de l'histoire ménagée d'un savant coup de ciseaux par le truqueur. Seule la pointe de son soulier droit a été oubliée en bordure de la découpe.

1. Presse tchèque, première semaine d'avril 1968.
2. La version retouchée a circulé à partir de l'automne 1969. Agence CTK.

Vies et batailles d'Asie

Diên Biên Phu est, bien plus qu'une grande bataille, une date politique dans l'histoire des rapports entre les nations coloniales et les pays du tiers monde. L'instauration d'une démocratie populaire au Vietnam du Nord, s'est accompagnée d'une prise en charge totale de l'information par le parti. Mais, sans même attendre que ce contrôle sur les textes et sur les images soit partout établi, c'est, encore en pleine guerre, au lendemain même de Diên Biên Phu, que les photographes et les cinéastes fabriquent les images de la bataille légendaire.

Les modèles de manipulation de la photographie se retrouvent au cours de la seconde guerre du Vietnam où les Américains et les Nord-Vietnamiens rivalisent dans la propagande, et dans les manœuvres des autres pays en guerre comme le Cambodge où les Khmers rouges établissent à coup d'énormes massacres un nouveau modèle de démocratie populaire.

Et la retouche ou la fabrication des photographies sont élevées au rang d'institution d'État dans la Corée du Nord de Kim Il Sung. La production de textes et d'images à la gloire du chef de l'État, véritable dieu vivant, dépasse les pires excès des cultes staliniens ou maoïstes.

■ DIÊN BIÊN PHU : DES FIGURANTS POUR LA BATAILLE

Printemps 1954, bataille de Diên Biên Phu. La guerre d'Indochine dure depuis 1946. Les troupes françaises s'affrontent à des armées de partisans insaisissables. Malgré les reprises en main par les généraux De Lattre puis Salan qui stoppent un temps les offensives du Viet-minh, la guerre continue. Le général Navarre qui succède à Salan décide en novembre 1953 la création d'un vaste camp retranché à Diên Biên Phu, dans le haut Tonkin. Le général Giap mobilise des dizaines de milliers de porteurs qui acheminent le matériel de nuit sur des bicyclettes. Et il réussit à encercler le camp retranché à l'aide de 35 000 hommes et d'artillerie lourde. L'attaque, imprévisible – elle avait été déclarée impossible par les spécialistes –, débute le 13 mars 1954. Après 57 jours de résistance, le camp français est pris. Cette victoire de Giap n'était pas absolument décisive mais elle eut un impact psychologique immense, tant en France où elle fit choir le gouvernement et accélérer les pourparlers de paix, qu'au Vietnam où elle fut prise comme symbole de toutes les luttes de libération.

Les Vietnamiens ont diffusé beaucoup de photographies de cette bataille historique et de la reddition du 8 mai. Presque toutes sont des reconstitutions. Qu'elles montrent les acheminements de matériel (3) ou les attaques de soldats viet-minh (4), les uns et les autres photographiés en pleine lumière alors que toutes ces opérations se faisaient de nuit, qu'elles prétendent rendre compte de l'assaut final contre le réduit central (des soldats jouent les morts et des fumigènes assurent l'ambiance guerrière) (5), toutes ces scènes ont été photographiées et filmées bien après la bataille. De même une photographie légendée : « Le général de Castries se rend avec tout son état-major » a été en fait prise des jours plus tard alors que les officiers étaient en captivité. La photographie montrant une colonne de prisonniers français (« Tous les survivants de la garnison se sont rendus ») a été faite au cours d'une reconstitution le 14 mai (2). Le cinéaste soviétique Roman Karmen était arrivé dans la région. Les chefs militaires vietnamiens firent mettre en rang les prisonniers et les firent défiler par unités séparées, et plusieurs fois de suite de façon à assurer plusieurs séquences, devant une plate-forme où était installée la caméra. C'est lors de ces mêmes journées de la

mi-mai, plus d'une semaine après la reddition du camp retranché, qu'a été tournée par Karmen la scène où l'on voit le drapeau viet-minh planté sur le toit du PC du général de Castries (1). D'autres scènes furent tournées par Karmen et aussi par des cinéastes vietnamiens, afin de reconstituer telle ou telle phase de la bataille. Seuls quelques prisonniers français, essentiellement les supplétifs algériens, acceptèrent de figurer les combattants français pour ces reconstitutions.

1, 2, 3. Photos publiées dans l'ouvrage du général Vô Nguyên Giap Diên Biên Phu, 1re édition, Hanoï 1959, 2e, 1964. Et dans Guerre du peuple armée du peuple, Hanoï 1961.
4, 5. Diffusées par l'ambassade du Vietnam du Nord en France, vers 1980. Commentaire du film par le général Bigeard à la télévision française le 8 mai 1964. Plusieurs de ces fausses scènes filmées par Karmen ou par les Vietnamiens sont réapparues dans une série d'Henri de Turenne diffusée à la télévision française en mars et avril 1984, déclenchant une vive polémique.

139

■ LA VIE PHOTOGRAPHIQUE ÉDIFIANTE DU SOLEIL DE L'HUMANITÉ

Kim Il Sung est un des hommes politiques les plus mystérieux. Malgré les milliers de pages de ses biographies dithyrambiques, sa vie est très mal connue. Issu de la classe moyenne, il fuit en Union soviétique où il forme des troupes coréennes avec lesquelles il combattra à Stalingrad. Envoyé par Staline en Corée en 1945, afin de contrecarrer les plans des communistes chinois, il finit, avec l'appui soviétique, par devenir chef du gouvernement de Corée du Nord. Son invasion de la Corée du Sud en 1950 déclenche une guerre qui impliquera les Américains et durera jusqu'en 1953.
Se tenant sur la réserve lors de la querelle sino-soviétique, mais empruntant au modèle chinois comme au soviétique, Kim Il Sung a développé dans son pays une des formes de « culte de la personnalité » les plus délirantes qu'on ait jamais vues. Les musées regorgent de panneaux à sa gloire. Toutes sortes d'objets ayant appartenu au « Soleil de l'humanité » sont mis sous vitrine. Et le manque de photographies illustrant sa vie est compensé par d'immenses fresques hyperréalistes montrant les épisodes glorieux – sans doute pour la plupart imaginaires – de son irrésistible ascension. Et les images qu'on présente comme des photographies ressemblent plutôt à des peintures en noir et blanc. Pour certaines, on est peut-être parti d'authentiques portraits mais d'autres ont été vraisemblablement entièrement inventées.

1 et 2. Livre illustré de l'activité révolutionnaire du camarade Kim Il Sung, *Pyongyang, 1970.*
3. Histoire abrégée de l'activité révolutionnaire du camarade Kim Il Sung, *Paris, 1973.*
4. Livre illustré..., *1970.*
5. Museo de la guerra de liberacion de la patria, *Pyongyang, 1969.*
6. Livre illustré..., *1970.*

■ LE GRAND LEADER AUX CHAMPS

Dans une brochure nord-coréenne, une image de Kim Il Sung est légendée : « Le camarade Kim Il Sung, Grand Leader, partageant la joie des paysans sur la plaine d'Ontcheun qui donne chaque année une récolte abondante » (1). On voit le grand leader qui s'avance souriant à travers un champ de céréales. Derrière lui, il y avait sans doute toute sa suite – gardes du corps, aides de camp, secrétaires, valets – et peut-être bien même les paysans qu'évoque la légende. Mais on a effacé cette suite. Pas complètement toutefois puisqu'on distingue une vague silhouette en halo autour de Kim, et même une main qui dépasse derrière lui, une main qui n'appartient donc à personne. Et Kim, irréel et souriant, flotte au-dessus d'une promesse de moisson qui se dissout dans un horizon lui-même fondu. La photographie en Corée du Nord, et la peinture hyperréaliste qui en tient lieu parfois, a pris une dimension unique au monde grâce à un art consommé de la légende (2). Quelques exemples choisis parmi beaucoup d'autres : « Le camarade Kim Il Sung, Grand Leader, recevant de sa mère les pistolets imprégnés de l'idéal élevé de son père, M. Kim Hyeung Djik, sur la restauration de la patrie » ; « Le camarade Kim Il Sung, grand stratège militaire et commandant prestigieux invincible à la volonté de fer, dirigeant l'opération de conversion en grandes formations » ; « Le camarade Kim Il Sung, Leader respecté et bien-aimé, se souciant du sort de la population sud-coréenne » ; « Le camarade Kim Il Sung, Leader respecté et bien-aimé, dirigeant sur place l'aciérie de Kangseun pour appeler tous les membres du Parti et les autres travailleurs à une lutte héroïque en vue d'exécuter les décisions de la session plénière de décembre 1956 du CC du Parti du Travail de Corée » ; « Les ouvriers qui redoublent d'efforts dans la production de réfrigérateurs en soutenant de tout cœur le Grand Programme Politique en Dix Points avancé par le Leader ».

Le camarade Kim Il Sung, grand Leader, partageant la joie des paysans sur la plaine d'Ontcheun qui donne chaque année une récolte abondante.

A Tcheungsan-ri, assis sans façon dans une aire de battage couverte d'une natte, le camarade Kim Il Sung, Leader et père affectueux, a discuté avec les paysans des travaux agricoles et de leur ménage.

1 et 2. Le musée de la révolution coréenne, Pyongyang, 1978. On trouve aussi la photo 1 non retouchée dans la Biographie en 3 volumes, vol. III, Beyrouth, 1973 ; et dans Histoire abrégée…, 1973

■ UN RAYONNEMENT MONDIAL

Au « Musée de la Fondation du Parti » et au « Musée de la Révolution Coréenne », à Pyongyang, plusieurs salles sont consacrées au rayonnement mondial de la pensée du « Leader respecté et bien-aimé, grand penseur et théoricien ». Les visiteurs coréens peuvent y voir des milliers de livres – les œuvres littéraires nombreuses et la biographie épaisse (2 200 pages) de Kim Il Sung, traduites dans toutes les langues du monde –, et des milliers de coupures, ou de pages pleines, provenant de journaux de tous les pays des cinq continents, où le visage du « Soleil de la Nation » apparaît en tête d'articles louangeurs, de discours intégraux ou d'entretiens chaleureux. On voit dans ces vitrines de musée aussi bien *Le Monde* que le *New York Times*, aussi bien *L'Asahi Shinbun* que la *Gazette de Lausanne*, aussi bien *L'Express* que le *Times of Ceylon*. « Les journaux de différents pays du monde exprimant leur soutien total aux œuvres géniales du camarade Kim Il Sung... » dit la légende. Le fils de Kim Il Sung, Kim Jong Il, « éminent penseur doué d'une perspicacité peu commune » a commencé à jouir vers la fin des années 70 de la même attention de la part des journaux de toute la planète. Et même le père de Kim Il Sung, Kim Hyeung

Djik, « inflexible militant révolutionnaire anti-japonais », s'est vu encensé dans des pleines pages de journaux indiens, britanniques ou africains. Les visiteurs nord-coréens des musées de Pyongyang s'étonnent-ils de voir les journaux et magazines raconter, un demi-siècle après, la vie d'un homme mort en 1926 ? S'étonnent-ils de ce que tant de journaux évoquent leur Grand Leader ? Savent-ils déchiffrer le mot « publicité » qui chapeaute parfois ces pleines pages de presse ? Car ces milliers d'articles sont des emplacements publicitaires achetés fort cher dans toutes les capitales du monde, et ces milliers de livres ont bien été publiés en toutes les langues, mais à compte d'auteur. La presse et l'édition sont trop pauvres pour refuser la précieuse manne que distribuent généreusement les diplomates nord-coréens en échange d'entretiens tout prêts ou de longs discours. Au moment où ce mécanisme culminait, entre 1968 et 1978, les dépenses effectuées pour cette publicité mondiale atteignaient un pourcentage important du budget du pays. Avec une fougue égale à leur naïveté, les diplomates durent se mettre à faire du trafic de drogue, de tabac ou d'alcool afin de nourrir en devises cette filière publicitaire, d'où une dizaine de scandales diplomatiques en 1976.

Résultat de cette fourmillante activité : l'accrochage dans les vitrines des musées de pages de *France-Soir*, du *Times* ou de l'*International Herald Tribune*, que les Nord-Coréens ne savent pas lire mais où ils reconnaissent immédiatement le portrait de leur « Grand Timonier ».

Le musée de la révolution coréenne, *Pyongyang, 1978.*

"LIỆT SĨ" NGUYỄN VĂN BÉ ĐỌC TIN MÌNH CHẾT

Tiền phong

THỰC HIỆN LỜI KÊU GỌI CỨU NƯỚC CỦA BÁC HỒ QUYẾT THẮNG GIẶC MỸ TRÊN ĐỒNG RUỘNG

HỘI NGHỊ CÁN BỘ ĐOÀN MIỀN BẮC BÀN PHƯƠNG HƯỚNG, BIỆN PHÁP CỦA ĐOÀN TRONG VỤ ĐÔNG — XUÂN VÀ NỘI DUNG PHONG TRÀO 'DŨNG SĨ 5 TẤN THẮNG MỸ'

Liệt sĩ NGUYỄN VĂN BÉ

MỘT CÂU CHUYỆN THẬT KỲ QUÁI !

Mặt Trận Giải Phóng tuyên truyền rằng anh Nguyễn Văn Bé đã chết một cách oanh liệt trong khi chiến đấu cho Mặt Trận. Theo lời tuyên truyền đó thì anh Bé sau khi bị quân đội Việt-Nam Cộng - Hòa bắt sống đã làm nổ một trái mìn để tự sát và đồng thời gây tử thương cho 69 binh sĩ Việt Mỹ.

Những bài tường thuật màu mè về cái chết của anh đã được đăng tải trên báo chí Cộng Sản và phát thanh trên đài Hà-Nội và đài của Mặt Trận Giải Phóng. Nhiều bài thơ và bài ca cũng được sáng tác để ca tụng thành tích oanh liệt của anh. Họ còn đắp một pho tượng để suy tôn anh nữa chớ! Nhưng sự thật rõ ràng là Nguyễn Văn Bé vẫn còn sống. Trong hình ở trang sau anh Bé đang đọc tờ Tiền Phong số ra ngày 7-12-1966 tại Hà-Nội, và qua bài báo anh mới hay rằng mình đã chết ! Cộng Sản tuyên truyền rằng anh Bé đã chọn một cái chết vinh quang. Song anh Bé quả quyết rằng anh không hề bắn một phát đạn và cũng không hề nghĩ tới chuyện làm nổ một trái mìn.

■ NGUYÊN VAN BE, L'HOMME QUI ÉTAIT MORT

Au cours de la seconde guerre du Vietnam (1957-1975), les adversaires rivalisèrent dans la propagande. Rumeurs, fausses nouvelles, photos truquées, faux documents furent diffusés en abondance tant par le gouvernement du Vietnam du Nord que par les services de l'armée américaine. L'une des histoires de propagande les plus étranges eut pour héros involontaire un jeune Vietnamien de 20 ans, Nguyên Van Be. Son histoire parut un jour de l'automne 1966, dans le *Thien Phong*, le journal de Hanoï. Issu d'une famille de paysans pauvres du delta du Mékong, il avait rejoint le Viet-cong et serait devenu un modèle de « zèle révolutionnaire ». Fait prisonnier près de la ville de My An, le 30 mai 1966, alors qu'il était chargé de mines, de grenades et de diverses autres munitions, il aurait été interrogé par un officier américain. Il se serait alors saisi d'une mine : « Levant la mine au-dessus de sa tête, les yeux brillant d'un éclat terrible, il s'écria : "Vive le Front national de libération. A bas les impérialistes américains !" (...) Ainsi furent tués 69 ennemis, parmi eux 12 Américains (un capitaine) et 20 officiers fantoches ». Le « martyr » fut au Nord-Vietnam l'objet de brochures, d'articles couvrant toute la première page des journaux, de poèmes, de pièces de théâtre, d'émissions de radio et d'un opéra. On ne lui dressa pas moins de deux statues.

En février 1967, un gardien de prison du Sud-Vietnam remarqua l'extrême ressemblance d'un de ses jeunes prisonniers avec les photographies que publiaient les journaux et les brochures communistes. Il le signala aux autorités. Le prisonnier n'était autre que Nguyên Van Be et les circonstances de sa capture avaient été des plus banales : un soldat sud-vietnamien l'avait attrapé par les cheveux alors qu'il essayait de s'enfuir en nageant sous l'eau d'un canal. On présenta Nguyên Van Be au cours d'une conférence de presse. La propagande américaine s'empara de l'affaire et l'exploita à sa manière : en juillet 1967, 30 millions de tracts, 7 millions de brochures, 465 000 affiches, 1 numéro spécial de journal tiré à 175 000 exemplaires, 167 000 photographies, plusieurs films et plusieurs émissions de radio ou de télévision avaient déjà diffusé, au Sud comme au Nord, les traits de Nguyên Van Be, de sa famille ou de ses amis. La propagande communiste répondit avec la même ardeur. Le 30 mai, jour anniversaire de la « mort » du héros, plusieurs millions de jeunes Vietnamiens du Nord furent rassemblés dans des forums gigantesques. On inaugura une troisième statue. On publia un gros livre racontant sa vie exemplaire. La presse et la radio de Hanoï accusèrent les Américains de falsification, et prétendirent même que le soi-disant Nguyên Van Be n'était qu'une création de la chirurgie plastique hollywoodienne. En juillet 1967, les communistes offrirent une récompense de 2 millions de piastres (environ 80 000 francs) à toute personne qui révélerait les circonstances exactes de la supercherie. Autour du village natal de Nguyên Van Be, plusieurs témoins de sa vie furent liquidés par le Viet-cong. On fit pression sur sa famille. Et chaque année, on continua à fêter l'anniversaire de la mort du héros. On ne sait pas ce qu'il est devenu après la « libération » du Vietnam du Sud et la chute de Saïgon (30 avril 1975).

Le tract diffusé par les Américains montre Nguyên Van Be lisant le Tien Phong du 7 décembre 1966 où sa photo figure en première page assortie d'un long récit des exploits du héros. Le texte raconte toute l'histoire et précise : « Les communistes disent que Be a choisi une mort de héros. Be dit qu'il n'a jamais tiré un coup de feu et qu'il n'a même jamais eu l'idée de la façon dont explosait une mine. » (Source : U.S., JUSPAO, tract n° 66).

■ LES KHMERS ROUGES FONT DE LA MISE EN SCÈNE

1972. Le Front national uni du Cambodge dirigé par Khieu Samphân veut prouver sa légitimité aux yeux du monde. Il veut prouver aussi que tout en menant la lutte contre l'impérialisme américain, il reconnaît l'autorité légitime du prince Sihanouk, alors en exil à Pékin. Il veut prouver enfin que ses dirigeants sont bien dans la jungle en territoire cambodgien et non, comme le prétendent les Américains, prudemment retirés dans des bases de la frontière thaïlandaise. On fabrique alors un recueil photographique qu'on envoie à Sihanouk. Les clichés montrent des conseils des ministres tenus dans des cases de la jungle, des opérations menées par cinq des dirigeants des Khmers rouges dans diverses zones « libérées ». Cependant, d'une photo à l'autre, on retrouve les mêmes arbres, les mêmes cases à peine transformées, les mêmes paysages, les mêmes détails vestimentaires. Et toute la série de photographies apparaît d'évidence comme une formidable mise en scène organisée dans un lieu sûr et confortable, avec toujours les mêmes figurants. Ainsi les mêmes combattants qui, quelques photographies auparavant, étaient présentés à l'exercice sont montrés, avec exactement le même costume et les mêmes armes, « prêts à fondre sur l'ennemi ».

Trois ans plus tard, les Khmers rouges entraient à Pnom Penh (17 avril 1975), vidaient la ville de tous ses habitants, y compris les malades, achevaient les blessés et déportaient la population dans des zones rurales où un grand nombre de personnes furent massacrées. Le règne des Khmers rouges dura jusqu'en janvier 1979, date à laquelle le Vietnam envahit le pays. La forme de communisme rural établie sur le pays par le gouvernement de Pol Pot, s'accompagna de travail forcé, de la destruction presque complète de la société traditionnelle et de l'extermination programmée et systématique d'une bonne partie de la population. Les chiffres qui ont été avancés par les spécialistes les plus sérieux vont de 500 000 à près de 2 000 000 de morts.

The leaders of the Khmer resistance and members of the royal government of national union in the interior of Cambodia, *National United front of Cambodia, brochure, 1972.*

Révolutions balkaniques

Le système de la censure et du contrôle des images tel qu'il a été mis au point et perfectionné par les Soviétiques au cours des années trente, a servi de modèle pour toutes les démocraties populaires instaurées en Europe après la Seconde Guerre mondiale. Souvent même, ce sont des conseillers soviétiques qui ont aidé les nouveaux gouvernements à créer des bureaux spécialisés au sein des ministères de l'Information ou de la Propagande.
Hongrie, Pologne, Allemagne de l'Est, Tchécoslovaquie, Bulgarie, Roumanie, Yougoslavie, Albanie sont ainsi dotées de solides structures bureaucratiques chargées du contrôle de la pensée et de l'information. Même si plusieurs de ces pays se séparent de l'Union soviétique, voire entrent en conflit avec elle, le système politique n'est pas fondamentalement remis en cause. Dans chacun d'eux, on retrouve ce même mécanisme de centralisation de l'information et de l'édition, de censure et de propagande, le plus souvent lié à des formes plus ou moins aiguës de « culte de la personnalité ».
Le chef d'État, homme providentiel, devient celui autour duquel tout s'ordonne, l'histoire, la politique, la vie culturelle. Les images sont recomposées de façon à assurer la continuité historique entre la vie légendaire du combattant d'hier et le destin de la nation auquel il s'identifie. Rivaux éliminés par vagues successives, tournants politiques incompréhensibles, échecs ou contradictions, la photographie participe largement à la refonte permanente de l'histoire qui est une des principales activités culturelles de ces pays.

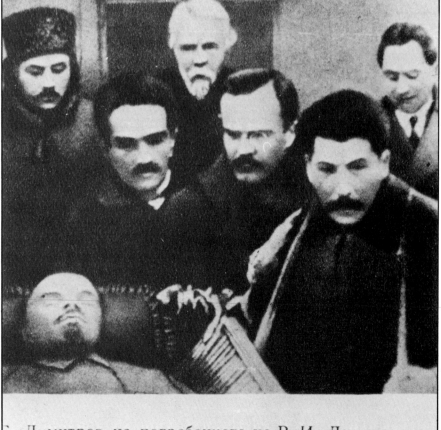

Димитров на погребението на В. И. Ленин заедно ръководители на ВКП(б) и Съветската държава.

Janvier 1924. Lénine est mort. Au cours des obsèques, la famille, les amis, les bolcheviks et des révolutionnaires se pressent autour du cercueil. Dans la foule, un Bulgare, Georges Dimitrov (1882-1949). Jeune député de l'Assemblée nationale bulgare, il est incarcéré pour pacifisme de 1915 à 1917. Organisateur du parti communiste bulgare, il rencontre Lénine en 1920. À la suite des émeutes ouvrières de 1923, il est condamné à mort : il passe vingt-deux ans en exil, la plupart du temps à Moscou. Présent à Berlin en 1933, il est accusé par les nazis d'être l'instigateur de l'incendie du Reichstag. Il est acquitté à l'issue d'un procès retentissant qui agite toute l'Europe. De retour à Moscou, il ne rentre en Bulgarie qu'avec l'Armée rouge, en 1945.

Dans les livres à la gloire de Dimitrov publiés après sa mort, on le montre aux obsèques de Lénine. On a enlevé un peu de foule pour mettre Dimitrov sur le même plan que les autres révolutionnaires et on l'a rapproché de Staline. Mais dans les éditions des mêmes ouvrages qui sont publiées pendant les années de la déstalinisation, la photographie disparaît ainsi que les nombreux autres clichés qui montraient Dimitrov avec Staline.

1. Photogramme extrait d'« Obsèques de Lénine », bande spéciale d'actualités filmées de la Kino-kronika, début février 1924.
2. Georgi Dimitrov 1882-1949, Sofia, 1958.

■ DEVANT LA FONTAINE

Moscou, septembre 1944. Georges
Dimitrov, toujours en exil en Union
soviétique, pose devant une fontaine dans
un jardin moscovite. Autour de lui, son
« état major », Vassil Komarov, (assis à
gauche), Dimitri Ganev (assis à droite),
Gueorgui Damianov (debout à gauche) et
Vilko Tchervenkov (debout à droite).
Rentré à Sofia après la guerre et nommé
président du Conseil, Dimitrov meurt au
cours d'un voyage à Moscou en 1949. C'est
son beau-frère, Tchervenkov, qui lui
succède. Le nouveau dirigeant épure le parti
avec férocité (procès Kostov, décembre
1949). Entraînant la Bulgarie dans un
modèle de développement beaucoup trop
chinois ou albanais au goût des dirigeants
soviétiques, il est expulsé du parti fin
novembre 1961, à la suite d'un rapport lu
par Todor Jivkov. Son image disparaît des
publications. Sur cette photographie, on l'a
remplacé par les feuillages du jardin et pour
rééquilibrer la composition, on a dû la
recadrer, effaçant du même coup le fidèle
Ganev.

1. *Georgi Dimitrov 1882-1949*, Sofia, 1958.
2. *Louka Zoulamski et Gueorgui Stoitchev*, Toi,
moi et Dimitrov, *Sofia*, 1968.

■ MICRO DISGRACIEUX

Sofia, 31 janvier 1946. Au cours d'un meeting sur la place du théâtre national, on annonce l'adoption de la loi sur la confiscation des biens acquis illicitement pendant la guerre. Georges Dimitrov, chef du gouvernement, écoute un jeune membre du comité central du parti lire un discours. Des années plus tard, Todor Jivkov, secrétaire du parti communiste bulgare, prend le pouvoir sur conseil de Moscou, en limogeant le chef de l'État, Vilko Tchervenkov (1961), et se fait nommer Premier ministre avec l'aval de Khrouchtchev (1962). La photographie, qui montre le futur dirigeant et doit donc illustrer sa biographie, est modifiée. On supprime le micro qui cachait Jivkov et on efface les personnages qui se trouvaient entre lui et Dimitrov : le visage de Jivkov est restitué et la continuité entre les deux chefs historiques est désormais assurée.

1. *Louka Zoulamski et Gueogui Stoitchev*, Toi, moi et Dimitrov, *Sofia, 1968.*
2. Todor Zhivkov, a biographical sketch, *Sofia, 1981.*

■ TITO ROGNE
SON ÉTAT-MAJOR

Une photographie prise en 1944 au maquis montre Josip Broz Tito entouré de l'état-major de l'Armée de libération yougoslave au cours d'une réunion secrète dans une grotte de l'île de Vis. Tito occupe le centre du cliché. À sa droite, il y a Vladimir Bokaric, Ivan Milutinovic, Edvard Kardelj ; à sa gauche Eleksander Rankovic, Svetozar Vukmanovic-Tempo et Milovan Djilas. Après l'exclusion de Djilas (1954), des versions tronquées apparaissent. Comme le personnage est situé à droite de la photographie, il a suffi de resserrer sur les cinq personnages centraux pour obtenir un groupe encore tout à fait convenable.

Mais Rankovic est limogé en 1966. C'est le premier personnage à gauche de Tito, et donc cette fois, toute la photographie est compromise : les livres yougoslaves de la fin des années soixante ne conserveront que le visage du chef.

1. *Svetozar Vukmanovic - Tempo,* Revolucija Koja tece, Memoari (*La révolution en cours, mémoires*), *Belgrade, 1971.*
2. *Pero Moraca et Viktor Kucan, La guerre et la révolution des peuples yougoslaves, 1941-1945, 20ᵉ anniversaire de l'insurrection, Belgrade, 1961.*

■ LE MÉGOT
DU PATRON DE BISTROT

Enver Hodja (1908-1985), fils de
commerçant albanais, fait ses études à
Montpellier et à Paris. Secrétaire du consul
d'Albanie à Bruxelles (1933), il regagne
ensuite son pays (1936). Professeur au lycée
de Tirana puis au lycée français de Korçë,
son activité politique attire l'attention sur
lui : il est renvoyé. Il tient ensuite un café
bureau de tabac, le *Flora*, à Tirana, qui est le
lieu de rencontre des intellectuels et des
agitateurs antifascistes. Lorsque, après
l'invasion italienne (1939), les envoyés
yougoslaves du Komintern essayent, en
1941, d'unifier les différentes tendances,
Hodja est nommé secrétaire du parti
communiste albanais. Il est ensuite un des
organisateurs de la Résistance armée.
Dans les années d'après-guerre, Hodja
devient le maître absolu de l'Albanie
socialiste. L'unique photographie, prise dans
ce que les historiens appellent aujourd'hui
pudiquement « la boutique Flora », est
retouchée. On ôte à Hodja la cigarette qu'il
avait entre les lèvres, on atténue son sourire
narquois, on repasse un peu son veston.
Bref, on transforme le patron de bistrot en
futur chef d'État.

1. *Tirana, 1941.* Précis d'histoire de la lutte
antifasciste de libération nationale du peuple
albanais 1939-1944, *Paris, 1975.*
2. Me Popullin, mes shokeve, *Tirana, 1983.*

Profesorë e nxënës të Liceut të Gjirokastrës. Nga e majta në të djathtë.

■ DES PIEDS EN TROP DANS LE PORTRAIT DE GROUPE

Hodja, devenu chef de l'Albanie socialiste, doit faire face à la fois aux poussées annexionnistes des Yougoslaves et à diverses oppositions intérieures. Le ministre de l'Intérieur Koci Xoxe est partisan d'une alliance économique. Nako Spiru, un des dirigeants de la Résistance, s'y oppose : il est poussé au suicide. Quelque temps après, la rupture entre Staline et Tito retourne la situation : Xoxe est jugé et condamné à mort et aussitôt exécuté (1949). En 1956, Hodja, toujours en butte aux attaques de Tito, profite de la crise du monde communiste (Budapest) pour liquider tous ses opposants dont la dirigeante communiste Liri Gega (fusillée alors qu'elle était enceinte). Il se tourne alors vers la Chine et résiste aux attaques de l'Union soviétique. Après le rapprochement sino-yougoslave, il rompt peu à peu avec les Chinois et destitue son ministre de la Défense Beqir Balluqu (1975), puis son chef d'état-major Petrit Dume (1976) et tous les ministres « prochinois ».

Enfin, un de ses plus vieux camarades de combat, son Premier ministre, Mehmet Shehu, se suicide (décembre 1981) : dans un de ses ouvrages, Hodja explique, l'année suivante, que Shehu avait toujours été un espion à la solde des Yougoslaves et des Soviétiques et qu'il avait organisé un complot pour l'assassiner.

A toutes ces vagues d'éliminations succédèrent de sévères épurations des textes historiques et de l'iconographie. Par exemple entre 1975 et 1983, les albums illustrés sur l'histoire de l'Albanie ont dû être réédités quatre ou cinq fois pour en éliminer les images de Balluqu, de Dume, de Shehu et pour mettre en avant le nouveau dauphin, Ramiz Alia.

Les images de la vie d'Enver Hodja ont été, elles aussi, revues et corrigées. Et dans les musées comme dans les livres, les photographies sont pleines de trous. En témoigne ce groupe déjà ancien montrant le jeune Enver alors qu'il était encore au lycée de sa ville natale de Gjirokastër. Quelques élèves se tiennent debout derrière un groupe de professeurs.

On voit que deux trous ont été ménagés dans le groupe. On a effacé deux personnages en repeignant soigneusement le mur du fond, mais on a oublié d'effacer aussi leurs pieds (en bas au centre et sous la chaise à l'extrême droite).

Enver Hoxha, Vite të vegjëkusë, *Tirana, 1983.*

■ MARIAGE PHOTOGRAPHIQUE

En illustrant la vie des grands dirigeants, les spécialistes de la retouche photographique n'oublient pas les sentiments. En témoigne ce beau montage qui réunit Hodja et sa femme Nexhmije. La silhouette d'Hodja, empruntée à une photographie de groupe prise au cours du 1er Congrès de la jeunesse antifasciste à Helmès en août 1944, a été repeinte, détourée de façon à la détacher des silhouettes voisines, et accolée à une autre photographie. On a tenté d'unifier les deux fonds mais la suture verticale est encore bien visible.

Me popullin, mes shokeve, *Tirana, 1983.*

152

■ DU MAQUILLAGE A L'EFFACEMENT

Quelques dirigeants de la Résistance albanaise posent autour d'Enver Hodja, pendant la conférence de Labinot (17-22 mars 1943). Au cours de cette réunion, le parti communiste organise la lutte, crée une Armée de libération nationale et élit Hodja secrétaire général. La photographie était célèbre en Albanie où elle figurait dans divers musées. Dans un ouvrage historique paru en 1976, la même photo reparaît. Mais au moment de distribuer le livre, on s'aperçoit qu'il y a un indésirable dans le groupe. C'est peut-être Petrit Dume, chef d'état-major de l'armée albanaise qui vient justement d'être éliminé. Son visage est donc recouvert d'un masque d'encre noire et le livre sera vendu et exporté ainsi. Depuis, la photographie continue à être publiée dans les ouvrages historiques, mais désormais, un décor a été repeint sur le personnage.

1. Ndreçi Plasari et Shyqri Ballvora, Histoire de la lutte antifasciste de libération nationale du peuple albanais, tome 1, Tirana, 1976.
3. Me popullin, mes shokeve, Tirana, 1983.

■ UNE PETITE SILHOUETTE DANS LE CONGRÈS

Përmet, 24 mai 1944. Un congrès élit un Conseil antifasciste de libération nationale chargé d'achever la lutte de libération. C'est en fait la naissance de la démocratie populaire en Albanie. En 1983, ce cliché montrant la salle du congrès paraît dans un album de photographies historiques. Le personnage en noir, debout au fond de la salle, a été effacé. Il s'agit sans doute de Mehmet Shehu, Premier ministre de Hodja, qui s'est suicidé en décembre 1981 à l'issue d'une conspiration des plus étranges. On peut s'interroger sur l'opportunité d'effacer un personnage minuscule à peine

reconnaissable. Mais la retouche a ses lois propres : il s'agit d'un message codé qui doit bien, d'une façon ou d'une autre, trouver ses destinataires.

1. *Précis d'histoire de la lutte antifasciste de la libération nationale du peuple albanais, 1939-1944, Paris, 1975. Le lecteur perspicace aura remarqué que dans cette première version, il y avait déjà une retouche : un personnage près de l'homme debout a été effacé. Sans doute un liquidé des années 1945 à 1975.*
2. *Me popullin, mes shokeve, Tirana, 1983.*

■ « L'AUBE QUI S'EST LEVÉE... »

29 novembre 1944. L'Albanie est
complètement libérée, Hodja prend la
parole à Tirana. La photo historique qui le
montre devant le micro en train de lire un
discours avec, à ses côtés, d'autres chefs de
la Résistance (1), connaîtra divers avatars :
elle est soigneusement repeinte et recadrée
(2) puis finira par être retouchée de façon à
effacer les voisins et laisser Hodja comme
seul et unique libérateur de l'Albanie (3).
Cette dernière image est assortie de la
légende suivante : « L'aube qui s'est levée en
novembre annonçait l'aurore de la nouvelle
époque ».

1. Précis d'histoire de la lutte antifasciste de
libération nationale du peuple albanais 1939-
1944, *Paris, 1975.*
2. Me popullin, mes shokeve, *Tirana, 1983.*
3. 40 vjet shqiperi socialiste *(40 années
d'Albanie socialiste), Tirana, 1984.*

■ VISITE AU MAUSOLÉE

Hodja a écrit un livre afin d'exprimer son admiration pour Staline. À côté de vrais clichés retouchés de façon à éliminer des personnages, on y trouve des photographies qui ont subi, au cours des années, des modifications anodines et apparemment absurdes. C'est le cas de cette photographie montrant Hodja déposant une gerbe au mausolée de Lénine. Une nouvelle version supprime les détails superflus. On est là en présence de retouches évidentes mais non nécessaires, qui montrent à quel traitement pictural sont soumises en permanence les photographies dans les pays totalitaires (mais dans ce cas le personnage éliminé est peut être Mehmet Shehu).

1. Me popullin, mes shokeve, *Tirana, 1983.*
2. *Enver Hodja,* Avec Staline, Souvenirs, *Tirana, 1984.*

Les trompe-l'œil
de l'histoire cubaine

Le 2 janvier 1959, au moment où Fidel Castro pénètre triomphalement dans La Havane, il jouit d'un immense prestige national et d'une sympathie internationale mêlée de curiosité. La presse, l'une des plus riches et des plus variées d'Amérique latine, soutient plutôt le nouveau régime et ses réformes indispensables. Mais l'euphorie est de courte durée. En moins de deux ans, quotidiens, hebdomadaires, mensuels jusque-là apparemment pléthoriques et représentant les courants ou les groupes les plus divers, vont être nationalisés, regroupés puis réduits à trois ou quatre titres.

La formation d'un parti unique, d'abord « Parti uni de la révolution socialiste » puis, plus prosaïquement, « Parti communiste cubain », s'accompagne de l'élimination des opposants puis des tendances révolutionnaires non marxistes. En même temps, le durcissement de la position américaine face aux nationalisations (réforme agraire, juin 1959 ; raffineries de sucre, août 1959 ; pétrole, octobre 1959) et le blocus poussent Castro à se tourner vers l'URSS.

Après l'échec du débarquement dans la baie des Cochons (16 avril 1961) et, plus encore, après la crise des missiles (octobre 1962), les conseillers soviétiques aident les services cubains à prendre le contrôle de la presse, des archives et de l'information. Toutes les archives révolutionnaires sont placées sous la tutelle de l'Institut d'histoire du parti communiste et du ministère de l'Intérieur. Et les Cubains apprennent, avec des spécialistes venus d'Union soviétique, à retoucher les photographies. La censure des photographies s'est ainsi exercée à l'encontre des divers autres courants de la révolution cubaine, des anciens camarades de lutte de Castro qui n'étaient plus d'accord avec lui et avaient été fusillés, jetés en prison ou avaient choisi l'exil, des membres de la famille du dictateur qui s'étaient désolidarisés de lui, ou encore, de tous ceux qui, restés à Cuba, avaient choisi le suicide pour protester contre l'oppression dont ils s'étaient faits complices malgré eux.

Et comme dans beaucoup d'autres pays totalitaires, les règlements de compte, les sordides histoires de famille, les liquidations de rivaux ou d'opposants ont été camouflés, de même que plusieurs événements historiques étaient soit complètement détournés de leur vrai sens, soit transformés en mythes révolutionnaires.

■ « TRAÎTRES À LA RÉVOLUTION »

« La Havane, 13 octobre 1953. M. Ramon Hermida, ministre de l'Intérieur, a décidé l'envoi, hier, au pénitencier national de l'île des Pins des vingt-sept individus condamnés par le tribunal de Santiago de Cuba à la suite des événements de la caserne Moncada. » Le communiqué de presse est bref mais il est précis : vingt-sept guérilleros ont survécu à l'attaque d'une caserne qui deviendra bientôt le symbole de la guérilla (il y a aussi deux femmes, Haydée Santamaria et Melba Hernandez, qui seront envoyées dans une autre prison). Vingt mois de pénitencier. Amnistie le 15 mai 1955, départ de Fidel Castro pour le Mexique, fondation du Mouvement du 26 juillet, retour d'un groupe à bord du bateau *Granma*, débarquement difficile le 2 décembre 1956. Castro prend le maquis, son mouvement s'étend, le régime s'effondre, le dictateur Batista s'enfuit et Castro entre triomphalement dans La Havane (2 janvier 1959). Très vite le régime, qui fait alliance avec l'Union soviétique, devient une dictature, et beaucoup d'anciens amis de Castro se retournent contre lui. Ils sont généralement effacés des photographies historiques. Mais ce n'est pas toujours le cas. Par exemple sur cette photographie prise dans une cour du pénitencier de l'île des Pins (3), on voit bien toujours les vingt-sept de Moncada mais la légende n'en compte que 25. Eduardo Montano et Mario Chanes, les deux hommes sans numéro ont été déclarés « traîtres à la révolution ». Le premier s'est exilé, le second, battu et torturé, se trouvait encore dans une prison cubaine en 1986. De la même façon, les photographies montrant la sortie des prisonniers le jour de l'amnistie générale, ont été recadrées sur Fidel Castro et son frère Raul, de façon à éliminer les silhouettes des indésirables (1 et 2).

Les «moncadistes» dans la cour attenante à la salle où ils étaient emprisonnés :
1. Julio Díaz 2. Eduardo Rodríguez Alemán
3. José Suárez Blanco 4. Reinaldo Benítez
5. Ramiro Valdés 6. Jesús Montané
7. José Ponce 8. Gabriel Gil 9. Israel Tápanes
10. Orlando Cortés 11. Rosendo Menéndez
12. Juan Almeida 13. Agustín Díaz Cartaya
14. René Bedia 15. Enrique Cámara 16. Fidel Labrador
17. Ciro Redondo 18. Raúl Castro
19. Abelardo Crespo 20. Andrés García
21. Pedro Miret 22. Armando Mestre
23. Francisco González 24. Oscar Alcalde
et 25. Ernesto Tizol.

1. Toutes les photographies de la sortie du pénitencier de l'île des Pins, dans leur version originale se trouvent dans Bohemia n° 21, 22 mai 1955. Cette photographie paraît encore non recadrée dans Cuba, numéro spécial, « Los cien anos de lucha », octobre 1968.
2. Le recadrage figure, lui aussi, dans La prison féconde et dans plusieurs autres ouvrages : Fidel Castro, La historia me absolvera, La Havane, 1973 ; Moncada, 1973.
3. Série d'articles de Mario Mencia parus dans Bohemia en mai et juin 1980, à l'occasion du 25e anniversaire de la libération de Castro et de ses camarades. Repris en livre, La prison féconde, La Havane, 1982. On trouve la photographie avec des légendes correctes dans les ouvrages ou revues publiées avant 1968, par exemple Bohemia, n° 5, 1er février 1959.

■ EFFACÉ EN NOIR OU EN BLANC

1er janvier 1959, Palma Soriano. Fidel Castro aux portes de Santiago de Cuba lit au micro de « Radio Rebelde » (Radio Rebelle) un appel solennel invitant les colonnes de Camilo Cienfuegos et de Che Guevara à marcher sur La Havane. Face à lui, Jorge Enrique Mendoza, speaker de Radio Rebelde, et à sa droite Carlos Franqui, directeur de la station et l'un des cinq membres du bureau exécutif du Mouvement du 26 juillet. Le matin, Franqui, qui a appris la fuite du dictateur Batista, a appelé à la grève et incité les rebelles à couper les voies de communication, prendre les villes, occuper les postes de police et maintenir l'ordre.

Après la prise du pouvoir, Franqui est directeur du journal *Revolución* jusqu'en 1963. En 1967 il organise le salon de Mai et en 1968, le congrès culturel de La Havane. Lorsque Fidel Castro, au cours de l'été 1968, approuve l'intervention soviétique en Tchécoslovaquie, Franqui rompt avec le régime et s'exile en Italie. Son image disparaît des publications. Et on l'efface même de cette très célèbre photographie historique. Il est tantôt gouaché de blanc et tantôt de noir. On peut voir au Musée de la lutte clandestine à Santiago de Cuba un fac-similé d'une page de journal révolutionnaire de l'époque où figure cette même photo mais avec Franqui dissous dans un fond noir !

« Je découvre ma mort photographique », écrit Carlos Franqui dans un poème. De tous les « effacés » de l'histoire, il est, à ce jour, le seul à avoir réagi littérairement et avoir essayé de traduire l'angoisse de la disparition photographique :
« Est-ce que j'existe ?
Je suis un peu de blanc,
Je suis un peu de noir,
Je suis un peu de merde,
Sur la veste du tovarich Fidel. »

1. Nombreuses publications jusqu'à l'automne 1968. Par exemple ronéo de Revolución, décembre 1962.
2. Effaçage « en noir » : Cuba, n° spécial « Los cien años de lucha », octobre 1968.
3. Effaçage « en blanc », Granma, sélection hebdomadaire en français, 18 mars 1973.

■ LE MYSTÈRE CIENFUEGOS

8 janvier 1959, La Havane. Fidel Castro fait son discours à la nation devant une foule en délire. À ses côtés, l'un des « barbudos » les plus chéris des Cubains, Camilo Cienfuegos. À un moment, Fidel s'arrête, se tourne vers Camilo et lui demande :
– *Voy bien, Camilo ?* (Je marche bien, Camilo ?)
– *Vas bien, Fidel !* répond Cienfuegos (Oui, tu marches bien, Fidel !).
Cet échange restera le mot le plus célèbre de l'épopée castriste. Héros adulé, Cienfuegos, chef de l'armée rebelle, disparaît rapidement et dans des circonstances extrêmement bizarres.

En octobre 1959, Hubert Matos, ancien instituteur, autre héros de la révolution cubaine devenu chef militaire de la province de Camagüey, a mis en garde Castro contre les infiltrations communistes dans l'armée et le gouvernement, et surtout contre les modalités d'application de la réforme agraire. Il finit par envoyer une lettre de démission (19 octobre). Castro charge Cienfuegos d'aller arrêter immédiatement Matos. Commence alors un des épisodes les plus obscurs de l'histoire cubaine. Matos est effectivement arrêté. Il sera condamné pour « trahison » et jeté en prison d'où il ne sortira que vingt ans plus tard. Mais l'emploi du temps de Cienfuegos ces jours-là n'a jamais pu être reconstitué avec précision, bien que les « historiens » cubains en donnent parfois les détails minute par minute.

On a dit que Cienfuegos serait rentré à La Havane et, opposé à l'arrestation de Matos, aurait eu une explication orageuse avec Fidel Castro : des soldats auraient ensuite vu son corps criblé de balles dans un hôpital militaire. On a dit que Cienfugos avait été liquidé par Raul Castro lui-même, le frère de Fidel, sur un petit aérodrome où son avion faisait escale. On a dit que son avion avait été saboté. On a dit beaucoup de choses, toujours est-il que Cienfuegos ne reparut jamais. Son aide de camp fut tué quelques temps plus tard par une sentinelle. Quant au responsable de la tour de contrôle de Camagüey, il s'enfuit aux États-Unis. Le lendemain de la disparition de Cienfuegos, Castro met tout le pays en alerte. Rumeurs. On croit l'avoir retrouvé sur une petite île. Fausse nouvelle. Conférence de presse du « Lider maximo » qui montre sur une carte l'itinéraire de l'avion (inverse de celui indiqué par la tour de contrôle de Camagüey). Discours publics au cours desquels on lie les deux affaires en rendant Matos responsable de la disparition de Cienfuegos. Dans les manifestations, au cours de l'hiver 1959-1960, on verra partout

des pancartes : « *Fidel no olvides que por el traidor perdimos a Camilo* » (Fidel n'oublie pas qu'à cause du traître nous avons perdu Camilo). Son principal rival en popularité mort, un de ses adversaires politiques potentiels les plus intelligents mis sous les verrous, Castro avait la voie libre pour le pouvoir absolu.

Photographie publiée dans Cuba, n° spécial « Los cien años de lucha », octobre 1968, avec cette légende : « En octobre, Camilo, après avoir arrêté le traître Hubert Matos, disparaît à bord de l'avion qui le ramène à La Havane. La photographie figure aussi dans l'ouvrage d'Antonio Nuñez Jimenez, En marcha con Fidel, La Havane, 1982, avec le même genre de commentaire.

HASTA LA VICTORIA SIEMPRE

EN MI ISLA

INSPIRADOS EN SU
EJEMPLO
FORMAREMOS
NUESTRA CONCIENCIA
Y CONSTRUIREMOS
EL COMUNISMO

■ LE VISAGE DU « CHE »

Né en Argentine, Ernesto Guevara, dit le
« Che », se joint au groupe de Castro au
Mexique et débarque avec lui à Cuba en
décembre 1956. Commandant réputé
pendant la guerre révolutionnaire, il devient
après 1959, ministre de l'Économie. Assez
méfiant face aux visées soviétiques, en
désaccord sérieux avec Fidel Castro, il
disparaît de Cuba en 1965. Il se serait rendu
en Bolivie où, convaincu qu'il fallait
étendre la révolution à tout le continent, il
prit la tête d'un petit groupe de guérilleros.
Début octobre 1967, cerné par les militaires
boliviens, le Che était abattu. A peine
avait-on confirmé sa mort que l'éditeur
italien Feltrinelli débarquait à La Havane et
recherchait des documents sur le guérillero
légendaire. Juan Vivès, qui était à l'époque
directeur de l'information au ministère des
Affaires étrangères, fut convoqué par Fidel
Castro qui le chargea d'aider Feltrinelli. Les
deux hommes fouillèrent diverses archives
avant de se rabattre sur celles de Vivès. Par
hasard, ils retrouvèrent une photographie
prise pendant la cérémonie à la mémoire des
marins du cargo français *La Coubre* qui avait
explosé en mars 1960, sans doute saboté par
la CIA, alors qu'il apportait à Cuba un
chargement d'armes.
« C'était une photo que j'avais prise de très
loin », raconte Juan Vivès, « lorsque j'étais
dans la foule. Il y avait au moins cinquante
personnes alignées à la tribune, autour de
Fidel Castro. Elle n'aurait jamais été
publiée, de toute façon : on y voyait
plusieurs personnes qui s'étaient exilées,
d'autres qui étaient en prison, d'autres
encore qui, entre-temps, avaient été
fusillées. Mais dans le groupe, on
reconnaissait le Che. C'est ce minuscule
détail qui fut choisi. On l'agrandit
démesurément en le tirant sur papier à très
haut contraste. Feltrinelli emporta l'image
et la revendit dans le monde entier. Elle a
été reproduite à des millions d'exemplaires,
sous forme de badges, de tee-shirts et surtout
d'affiches. Bien sûr, je n'ai jamais touché un
sou de droit d'auteur !. »

---

1. « *Jusqu'à la victoire, toujours* », *affiche du Comité
Justice pour Cuba, Canada, 1967. La photographie
originale a été détruite.*
*On en trouve des versions proches dans le reportage
photographique consacré à la cérémonie, dans Bohemia, n° 11, 13 mars 1960.*
2. « *Sur mon île, inspirée par son exemple, nous
forgerons notre conscience et construirons le communisme.* » *Affiche de l'Organisation de solidarité avec les
peuples d'Asie, d'Afrique et d'Amérique latine
(OSPAAL), 1968.*
3. *Journée du guérillero héroïque, 8 octobre, affiche de
l'OSPAAL pour le premier anniversaire de la mort de
Guevara, 1968.*

DIA DEL GUERRILLERO HEROICO 8 DE OCTUBRE
JOURNEE DU GUERILLERO HEROIQUE 8 OCTOBRE
DAY OF THE HEROIC GUERRILLA OCTOBER 8

■ UNE PHOTO EXPLOSIVE

Novembre 1971. Fidel Castro fait une tournée triomphale au Chili. Il a été invité par Salvador Allende, président de l'Unité populaire depuis octobre 1970. Sa visite, qui dure trois semaines, est saluée par la presse cubaine comme « la rencontre symbolique entre deux processus historiques ». Le 10 novembre, il dépose une gerbe au pied de la statue de Bernardo O'Higgins, le général qui, par la bataille de Maipu (5 avril 1818), affirma l'indépendance chilienne. Aux côtés de Castro, les représentants de la hiérarchie militaire. Dans un gros livre relié et illustré, *Cuba-Chile* que publie le parti communiste cubain quelques semaines plus tard, on voit plusieurs photographies de Fidel Castro en compagnie d'un général alors inconnu.

Vingt-deux mois après la visite de Castro, une junte militaire prend le pouvoir au Chili, massacrant Allende et des milliers d'hommes et de femmes. De cette junte émerge rapidement la figure du général Augusto Pinochet, bientôt désigné comme « chef suprême de la nation ». Et aux yeux du monde entier, Pinochet devient le nouveau symbole des dictatures « de droite » d'Amérique latine. Cette photographie de la rencontre entre le dictateur « de gauche » et le futur dictateur « de droite » est évidemment un document exceptionnel. On imagine la terreur rétrospective des fonctionnaires chargés de la censure à Cuba lorsqu'ils se souvinrent de cet album. Ils ont en tout cas bien fait leur travail : le livre a été rapidement retiré de la vente et est absolument introuvable dans les librairies comme dans les bibliothèques publiques cubaines.

10 novembre 1971 ; publiée dans Cuba-Chile, *La Havane, 1972.*

La tradition soviétique

Ni la mort de Staline, ni la « déstalinisation » qui suit, ne mettent fin au système de censure des images qui avait été rôdé pendant plus de trente ans. Khrouchtchev lui-même en bénéficie, faisant effacer quelques rivaux après avoir assuré le grand nettoyage de l'iconographie stalinienne. Une fois limogé, il disparaît à son tour assez brusquement des livres et des magazines. Son successeur, Leonid Brejnev, se voit gratifier d'une vie exemplaire en images retouchées. Et ces images servent à illustrer ses propres ouvrages qui lui vaudront un prix Lénine de littérature.

Comme sous Staline, le parti continue à inventer ses « hommes de marbre », héros du travail, pionniers des terres vierges, explorateurs, ingénieurs, chercheurs, dont une iconographie riche et scientifiquement élaborée nous restitue les visages, les gestes et les hauts faits. Que, parfois, certains de ces personnages n'aient jamais réellement existé, ou que, souvent, les faits présentés soient de pures inventions, ce sont là des détails somme toute secondaires puisque la source est toujours la même et la vérification impossible. De toute façon, le Soviétique moyen a sa façon à lui de croire ou de ne pas croire à ce qu'on lui dit et de se méfier des images qu'on lui montre. La jeunesse que les portraits officiels des dirigeants soviétiques ont affichée pendant longtemps, alors qu'on les savait âgés, malades ou mourants, a été source de multiples histoires drôles colportées de bouche à oreille. Moins connues sont les retouches nombreuses apportées aux photographies de ces hyper-héros que sont les cosmonautes. Et ce qui se produit pour les cosmonautes – retouches, recadrages, effacements de personnages – se retrouve dans bien d'autres domaines comme le sport, l'armée, les cultures des minorités nationales, la recherche scientifique ou le développement de la Sibérie.

De même, les images de la vie de plusieurs écrivains – Maïakovski, Essenine, Pasternak – ont été réaménagées ; celles de dissidents célèbres – Alexandre Soljenitsyne, Mtislav Rostropovitch – totalement éliminées.

■ LA VIE D'UN HÉROS

12 avril 1961. Le monde apprend avec
stupeur qu'un homme, pour la première fois,
vient de pénétrer dans l'espace et de faire le
tour de la Terre. On découvre bientôt le
visage sympathique et souriant du pilote
Youri Gagarine, 27 ans, marié, père de deux
enfants.
Dans les reportages, les brochures et les
livres qui paraissent alors sur lui, on
découvre un grand nombre de
photographies retouchées. La vie passée du
nouveau héros de l'Union soviétique a été
soigneusement revue, expurgée et corrigée
(photos 1, 2, 3). De même chacun de ses
gestes est attentivement étudié. Ainsi d'une
photo prise au moment de son accueil
triomphal à Moscou (4), on a tiré une
version plus conforme : les yeux noyés dans
l'ombre sont redessinés et éclaircis, la
bouche entrouverte est fermée (5).
Autre signe de ces remaniements
enjoliveurs, la photo de la femme de
Gagarine, prise, disent les légendes,
pendant le vol. D'une version à l'autre des
détails changent (col, ombres, fond).
Enfin, toutes les photographies de Gagarine
montraient abondamment Nikita
Khrouchtchev. Sur les albums, aujourd'hui,
Khrouchtchev a disparu et on ne voit plus
que Leonid Brejnev embrassant et décorant
le premier des cosmonautes.

1,2 et 3. *Youri Gagarine*, Doroga v'kosmos (*Le
chemin du cosmos, traduit en français* Le chemin
des étoiles), *Moscou, sans date (vers 1962) et* Un
Soviétique dans l'espace, *Moscou, s.d.*
4. K zvezdam - To the stars, *Moscou, 1982.*
5. Y. *Gagarine, op. cit.*
6. K zvezdam, *1982.*
7. Y. *Gagarine, op. cit.*

167

Quelques semaines après l'exploit de Gagarine, neuf astronautes soviétiques groupés autour du responsable du programme spatial, Sergueï Korolev (1906-1966), posent pour une très officielle et très ordinaire photographie de « famille ». On reconnaît le plus célèbre d'entre eux, Youri Gagarine (2e assis à partir de la gauche). Il est monté dans l'espace, tous les autres iront à leur tour.

En 1968, alors que Gagarine vient de se tuer en avion, un album soviétique, *Vers les étoiles*, raconte en images les premières étapes de la conquête spatiale soviétique. La même photographie reparaît. Même groupe, mêmes sourires, mais un personnage a disparu, dissous dans le mur du fond. C'est Vladimir Komarov qui, quatre ans auparavant, a été le pilote de Voskhod 1, le septième vaisseau spatial habité soviétique. Parti sous Khrouchtchev, avec le médecin Egorov et l'ingénieur Feotkistov – ce fut la « troïka de l'espace » –, Komarov revint le surlendemain sous Brejnev (12-14 octobre 1964). Officiellement, il se serait tué en service trois ans après, le 24 avril 1967, au cours du retour d'un vol de Soyouz 1.

Pour quelle raison l'efface-t-on de ce cliché ? Des spécialistes allemands ou britanniques qui ont commenté cette disparition ont émis plusieurs hypothèses : Komarov n'aurait pas correspondu aux critères de pureté russe parce qu'il avait une mère d'origine allemande ; il aurait émis des critiques soit envers le régime soit, plus précisément, envers le programme spatial soviétique ; il aurait été liquidé un an avant cette publication, etc. Ces explications sont romanesques et sans doute excessives. Il y en a une bien plus simple (qui d'ailleurs n'exclut pas certaines des autres) : lorsque paraît la version de *Vers les étoiles* de 1968, Youri Gagarine vient de périr dans un accident d'avion. Komarov lui-même venait donc de disparaître juste un an auparavant. Et deux morts, dans ce petit groupe des plus prestigieux « héros de l'Union soviétique », cela aurait fait vraiment très mauvais effet ! D'autant plus que le responsable des vols, S. Korolev était lui aussi mort en 1966...

1. *Photo non signée prise en mai ou juin 1961 à Sotchi. Première publication inconnue. Repris dans Evgueni Riabchikov, Les Russes dans l'espace, Moscou, 1971, puis Paris, 1972. Nous supposons que les personnages sont les suivants : assis, Andryan Nikolaïev, Youri Gagarine, Sergueï Korolev, Boris Yegorov, Vladimir Shatalov ; debout, Pavel Popovitch, Vladimir Komarov, Guerman Titov et Valery Bykovsky.*
2. *Vers les étoiles, Moscou, 1968.*

■ L'HISTOIRE SECRÈTE
DU PROGRAMME SPATIAL

18 mars 1965. Pavel Belyayev et Aleckseï Leonov, les deux cosmonautes de l'équipe de Voskhod 2, sont acheminés par autobus vers leur vaisseau spatial. Leur aîné, Vladimir Komarov les accompagne jusqu'à la rampe de lancement. Derrière lui, un de ses collègues, dans le même uniforme. Dans une version ultérieure de cette photographie, ce personnage a disparu. Des années plus tard (1978), l'homme fut identifié comme étant un certain « Dimitri » qui avait fait partie de l'équipe de soutien du vol de Voskhod 2 et qui, plus tard, en 1969, aurait eu « de sérieux problèmes médicaux ». Le programme spatial soviétique a une histoire officielle héroïque et une histoire secrète plus tragique. Catastrophe sur le site de Baïkonour en octobre 1960 (quarante morts parmi les dirigeants du programme), autres désastres en avril 1967 (mort de Komarov et peut-être d'autres membres de l'équipage) ainsi qu'en juin 1971 (asphyxie de l'équipage de Soyouz 11), échecs de lancements ou de manœuvres, pertes de contrôle (novembre 1967, avril 1968, juin 1969, novembre 1969, avril 1971, juin 1971, juillet 1972, avril 1973, mai 1973, août 1974, avril 1975, octobre 1976, août 1977, octobre 1977, avril 1978, avril 1979…). Et de l'aveu même des dirigeants soviétiques, six à huit hommes seraient morts à l'entraînement.

Beaucoup de vaisseaux spatiaux soviétiques ont été lancés sans qu'on apprenne jamais les identités des membres de leurs équipages, sans qu'on voie jamais la moindre photographie du lancement ou de l'intérieur (particulièrement la série des Saliout). Enfin, plusieurs cosmonautes ont été éliminés des programmes sans qu'on nous révèle pourquoi ni ce qu'ils sont devenus.

1. 18 mars 1965. Diffusée par l'agence Tass.
2. Republications sous cette forme dans les ouvrages de la série Vers les étoiles, *1968 et suivantes. Une autre photographie, très proche, se trouve dans* K zvezdam *(1982).*

■ K CONTRE B

En mai 1963, Fidel Castro est reçu en URSS où on le décore de quelques médailles comme celles de héros de l'Union soviétique ou de l'Ordre de Lénine. Une des photographies prises alors par le service de presse soviétique et donnée aux Cubains (déjà légèrement retouchée), montre Fidel Castro face à Nikita Khrouchtchev, secrétaire général du parti communiste, (c'est-à-dire en fait le véritable chef de l'État soviétique) et Leonid Brejnev, alors président du présidium du Soviet suprême. Mais dans la version parue la même année en Union soviétique, Khrouchtchev est seul face à Castro. Peut-être Brejnev, politicien ambitieux, a-t-il été effacé sur ordre du méfiant Khrouchtchev. Prémonition, car, un peu plus d'un an plus tard, « Monsieur K » était renversé par Brejnev qui devait régner en maître absolu sur l'URSS pendant 18 ans et être responsable de l'invasion de la Tchécoslovaquie (1968), et de celle de l'Afghanistan (1979).

1. *Datée du 23 mai 1963, Moscou. Viva Cuba !, La Havane 1963.*
2. *Piat let koubinskoï Revolutsii (La révolution cubaine a cinq ans), Moscou, 1963.*

170

Беседа Л. И. Брежнева с В. Брандтом

ЯЛТА, 17. (ТАСС). Сегодня в районе Ореанды состоялась продолжительная беседа между Генеральным секретарем ЦК КПСС Л. И. Брежневым и Федеральным канцлером ФРГ В. Брандтом. В ходе беседы были затронуты актуальные вопросы развития отношений между Советским Союзом и Федеративной Республикой Германии и международные проблемы, представляющие взаимный интерес, в особенности вопросы укрепления европейской безопасности. Беседа будет продолжена во второй половине дня.

■ ÉLOGE DE LA SOBRIÉTÉ

Oreanda, près de Yalta en Crimée, en septembre 1971. Willy Brandt, chancelier d'Allemagne fédérale, rencontre Leonid Brejnev, premier secrétaire du parti communiste. On fume beaucoup, les cendriers débordent. On boit beaucoup aussi, les bouteilles de champagne de Crimée s'accumulent. Ambiance cordiale, légèrement débraillée. A un moment précis, on fait entrer les photographes.
Dans la presse allemande, on verra les bouteilles, les paquets de cigarettes, les cendriers pleins, la manchette débordante de Brejnev, les mains des divers autres participants. Sur le cliché de la *Pravda* on a fait le ménage, vidé la table de ses bouteilles trop voyantes et de ses mégots, éliminé les autres détails canailles et ramené la rencontre à un digne dialogue souriant.

1. Le 18 septembre 1971, Oreanda. Suddeutscher verlag.
2. Pravda, 19 septembre 1971.

■ REMOUS SECRETS DU 1er MAI

Que les photographies officielles des cérémonies soviétiques soient le plus souvent des alignements de personnages redessinés, gouachés et collés, ou encore des réaménagements de scènes, on en a comme une démonstration à l'envers par l'incident suivant qui s'est produit en 1979. Le jour de la revue du 1er mai, tout le monde avait vu, présents sur la galerie du mausolée et alignés selon un ordre donné, les dirigeants de l'État soviétique et du parti.

Dans le journal du soir *Vechernaya Moskva* (Nouvelles de Moscou) qui paraît ce jour-là, la photographie de la tribune montre bien un bel alignement Brejnev – Kossyguine – Souslov – Grichine – Gromyko, mais, ô stupeur, Andreï Kirilenko, membre du Politburo, et l'un des prétendus « dauphins » de Brejnev, que tous ont vu placé entre Souslov et Grichine, a disparu.

Conciliabules dans les antichambres, émotions dans les ambassades, rumeurs dans les agences de presse : on lit déjà dans ce signe éclatant l'écho d'une lutte pour le pouvoir, ou de quelque brouille secrète entre dirigeants, voire d'une élimination brutale du présumé dauphin (on se souvient toujours de Beria et de quelques autres). On rappelle des incidents récents, la lutte entre

« les deux factions » (il y a toujours deux factions toutes prêtes à s'entre-dévorer). Certains notent que le trucage a rapproché de Brejnev, Viktor Grichine, chef de l'organisation du parti pour la ville de Moscou : on spécule sur l'avenir de ce nouveau dauphin.

Les mystères ne durent pas longtemps : la *Moskovskaïa Pravda* (*Pravda* de Moscou) du 2 mai republie la photographie officielle avec, en bonne place, Andreï Kirilenko. Les personnages situés aux deux extrémités du groupe, Brejnev et Gromyko, sont exactement les mêmes, figés dans le même geste (situation qui serait hautement improbable s'il s'agissait de deux photographies prises à des instants différents), mais on a remis Kirilenko à sa place entre Souslov et Grichine. Il semble cependant que le retoucheur n'ait pu réutiliser complètement le cliché d'origine, peut-être parce que le négatif était détérioré. Il a donc choisi un autre cliché de Grichine pris au même moment (le personnage porte à la boutonnière le traditionnel ruban rouge du 1er mai) et un autre cliché du duo Kossyguine – Souslov, mais celui-là pris sans doute au début de la cérémonie (ils ne portent pas encore à la boutonnière le ruban rouge traditionnel) : la retouche n'est pas parfaite et même l'épaule de Brejnev a

souffert de l'opération.
Quant à la *Pravda* nationale, elle se contente de publier, ce même 2 mai, une autre photo de la cérémonie.

1. Vechernaya Moskva, *1er mai 1979.*
2. Moskovskaya Pravda, *2 mai 1979.*
3. Pravda, *2 mai 1979.*

■ L'ÉTERNELLE JOUVENCE DES PORTRAITS OFFICIELS

Les photographies prises en janvier 1980 à Moscou par les journalistes français qui accompagnent Jacques Chaban-Delmas, alors président de l'Assemblée nationale française, montrent le visage de Leonid Brejnev au cours de l'entretien officiel. (C'est le moment même où les agents du KGB arrêtent Sakharov et le conduisent en exil à Gorki). Un vieillard malade au masque de caoutchouc mou, au cou flasque, bourgeonnant et tuméfié, enfoncé dans les épaules. Un peu comme une statue de cire qui, prise au cœur d'un incendie, aurait commencé à cloquer, bouillir et s'écouler en elle-même. La bouche ouverte comme pour aspirer un air rare, les petits yeux clairs ayant du mal à percer les plis mous des paupières et des joues en liquéfaction.

Or, les portraits officiels de cette même année 1980, diffusés par l'agence Tass, imprimés dans la *Pravda* ou placés en tête des brochures et des œuvres « littéraires » de Brejnev, montrent une sorte de visage composite, qui, à force de retouches, de repeints, d'amendements, nous ramène à un personnage figé dans l'éternelle vigueur de ses cinquante ans. Les pattes d'oie sont là, comme une marque de noblesse virile, mais le reste du visage est lisse, ferme, sévère. On est peut-être parti d'une photographie de Brejnev prise vingt ou trente ans auparavant. Et cependant c'est bien à un Brejnev de 1980 qu'on veut nous faire croire puisque la photographie est précisément datée : on a pris soin, en effet, d'accrocher au côté droit de la veste du personnage la médaille d'or de la paix Joliot-Curie qui lui a été décernée en 1975, et la médaille du Prix Lénine de littérature qui vient de lui être donnée en mars 1979.

1. *Portrait officiel en 1980.*
2. *Photo d'Arnaud de Wildenberg, agence Gamma, Paris.*

174

Quand les méthodes s'exportent

Il serait naïf de croire que la dénonciation vigilante des falsifications historiques effectuées dans les pays totalitaires puisse jamais mettre les pays démocratiques à l'abri de ces mêmes maux, ou qu'elle suffise à garantir une information photographique « froide », totalement dénuée d'arrière pensée. L'intoxication, la propagande, la désinformation n'ont pas de frontières, elles s'épanouissent souvent assez loin des centres où elles ont été élaborées.

La propagande de guerre en est un bon exemple ; mais en dehors de ces périodes exceptionnelles, on rencontre surtout trucages et falsifications historiques chez ceux qui s'attachent à copier les méthodes de la propagande totalitaire (marquée par ses trois grands styles, fasciste, nazi et communiste), et d'une façon générale, chez tous ceux qui détournent les images dans un but de manœuvre politique ou de chantage. Et parfois, même pour des journalistes ou des historiens chez qui la politique n'est pas nécessairement la préoccupation principale, la tentation peut être vive d'« arranger » une image afin d'obtenir l'illustration exactement recherchée. La manipulation des images pose autant de problèmes éthiques que la manipulation du langage écrit ou parlé : un simple recadrage de presse peut changer totalement le sens d'une photographie.

Nous avons donc voulu donner quelques exemples de ces diverses formes de déviation. Il est évident qu'on pourrait trouver dans la presse ou dans les ouvrages historiques des pays libres, beaucoup d'autres cas de détournement des images, de légendes erronées ou mensongères, de retouches, de détourages, de photomontages. Mais, si l'on excepte la propagande de guerre qui s'exerce en une période où le fonctionnement normal de la démocratie est de toute façon perturbé, ce qui distingue ces images de celles qui ont été diffusées par les pouvoirs totalitaires, est leur statut et leur destin. D'abord, elles ne sont pas l'émanation d'un pouvoir unique, seul détenteur des sources d'information et des moyens de diffusion. Ensuite, une fois mises en circulation, elles ont été soumises à des comparaisons, à des analyses, à la critique, elles ont été réfutées par des journalistes, des historiens, des adversaires politiques, parfois même, à la longue, dénoncées par leurs propres auteurs. Et si elles ne l'ont pas encore été, elles peuvent l'être à tout moment, en vertu de quelques principes simples – pluralité de l'information, liberté d'accès aux sources, liberté d'expression des idées, liberté de circulation des hommes – qui sont les bases même de la démocratie.

■ HITLER DANSE

21 juin 1940, Compiègne. Hitler vient de s'asseoir dans le wagon de la capitulation allemande de 1918 pour recevoir la reddition de l'armée française. Le Führer s'avance, radieux, vers un groupe d'officiers nazis. Aux actualités britanniques et américaines, les jours suivants, des millions de spectateurs peuvent voir cette scène incroyable : Hitler esquisse un joyeux petit pas de danse. La vérité ne fut connue qu'après la guerre. John Grierson dirigeait pendant la guerre les services d'information et de propagande du Canada. Lorsque la séquence d'actualités montrant la

capitulation française lui parvint, il remarqua qu'au cours de la scène, à un moment, Hitler levait la jambe assez haut. Le mouvement était très bref. Mais Grierson eut l'idée de multiplier cette très courte séquence un certain nombre de fois : on avait ainsi l'impression que Hitler, par ailleurs très souriant, sautillait de joie. Cette courte gigue eut un effet de propagande extraordinaire en soulevant la fureur du public dans tous les pays alliés où elle fut projetée.

Séquence des actualités allemandes rediffusée sous cette forme truquée dans la série World in action *(National film board, Ottawa, 1940).*

■ LES ARTISTES DE LA PHOTO DE GUERRE

Quelques clichés fort célèbres de la Seconde Guerre mondiale n'ont avec la vérité historique que de lointains rapports. C'est le cas par exemple de « la prise de Tobrouk », une saisissante mise en scène organisée quelques jours après la bataille à l'aide de bombes fumigènes (octobre 1942). Le cliché est signé par le sergent Chetwyn, l'un des membres les plus dynamiques de la fameuse « Army film and photographic unit » britannique. Le groupe de photographes de Chetwyn, groupe qu'on surnommait le « Chet's circus » (le cirque de Chet), produisait beaucoup de photographies spectaculaires qui plaisaient toujours au ministère de la Guerre et aux services de propagande britanniques mais scandalisaient quelque peu les autres photographes.

En d'autres occasions, les Alliés n'ont pas hésité à fabriquer de véritables faux ou des mises en scène mensongères pour contrecarrer les campagnes de la propagande allemande. Ainsi le magazine illustré *Parade* avait été lancé par l'armée britannique pour rivaliser avec le magazine allemand *Signal*. En 1943, au moment où l'armée allemande commence à battre partout en retraite, la première page de *Parade* montre un soldat allemand plutôt défait et on légende la photographie « La race des seigneurs. » Derek Knight, qui fut assistant de John Grierson puis d'Alberto Cavalcanti, et qui travaillait à cette époque dans l'« Army film and photographic unit », raconte que le soldat allemand de la couverture de *Parade* était en fait « l'Arabe le plus laid qu'ils avaient pu trouver dans les rues du Caire et qu'ils avaient déguisé avec une espèce d'uniforme. ».

Ce qui distingue cependant ces deux photographies de celles qui sont diffusées par les pays totalitaires, c'est que leur histoire n'est pas secrète. Les services de propagande britanniques ont divulgué après la guerre quelques-unes de leurs ruses et tout historien a assez facilement accès aux archives.

1. « *L'attaque sur Tobrouk* », *photographie de l'AFPU, novembre 1942*
2. *Parade, n° 143, vol. 11, 8 mai 1943.*

■ ÉLIMINATION D'UN TRAÎTRE

Entre l'édition de 1937 de *Fils du peuple* de Maurice Thorez et l'édition de 1949, il y a quelques singulières différences. Dans le texte d'abord : Staline, auquel Thorez ne consacrait que quelques paragraphes, dithyrambiques, il est vrai, prenait soudain une ampleur extraordinaire, alors que disparaissaient les rencontres de Thorez avec les éliminés des procès de Moscou. Dans l'iconographie ensuite. Une photographie de groupe nous montrait en 1937 la visite des membres du bureau politique du parti communiste, au musée d'art français à l'exposition universelle de 1937. Douze hommes bien alignés. Dans la version de 1949, il n'y a plus qu'onze personnages. Celui qui était debout entre Jacques Duclos et Raymond Guyot a disparu. On a coupé la photographie, fait glisser l'intrus dans la trappe et, ni vu ni connu, serré les rangs en rapprochant les deux bords. Dans les éditions ultérieures, on complétera même l'édifiant tableau en rapprochant encore plus Duclos de Thorez : le groupe est désormais compact, sans faille, d'une seule coulée.

Ce petit monsieur bedonnant qui ressemblait beaucoup à son voisin Duclos n'était autre que Marcel Gitton et son destin photographique fut l'exacte traduction de sa vie réelle. Secrétaire du Comité central, député, il est un des principaux dirigeants du parti jusqu'en 1939. Il rompt après le pacte germano-soviétique et aussitôt, selon une méthode déjà largement éprouvée dans le parti communiste français comme dans le russe, il est dénoncé par ses anciens camarades comme « policier infiltré ». Entré dans la collaboration dans le sillage de Doriot, il est abattu en septembre 1941 par l'« organisation spéciale » du parti, organisation affectée, selon Auguste Lecœur, à « la récupération des fonds, du ravitaillement, la protection des militants et l'exécution des « traîtres ».

VISITE DE MEMBRES DU BUREAU POLITIQUE ET DE MILITANTS COMMUNISTES AU MUSÉE D'ART FRANÇAIS, A L'EXPOSITION

VISITE DES MEMBRES DU BUREAU POLITIQUE ET DE MILITANTS COMMUNISTES AU MUSÉE D'ART FRANÇAIS A L'EXPOSITION DE 1937

1. *Maurice Thorez,* Fils du Peuple, *Paris, 1937.*
2. Fils du peuple, *édition de 1949. Autres version:* Fils du peuple, *éd. de 1970. Et V. Sédykh,* Trois vies, Marcel Cachin, Maurice Thorez, Jacques Duclos, *Moscou, 1981.*

■ « JE NE ME SUICIDERAI PAS ! »

En juillet 1929, Maurice Thorez, qui vient
d'être arrêté par la police pour l'inculpation
de « provocation de militaires à la
désobéissance dans un but de propagande
anarchiste », pose dans une cour de la prison
de la Santé. Il y a autour de lui Pierre
Lacan, Gabriel Péri, Paul Vaillant-
Couturier, André Marty et quelques autres.
La photographie, présente dans l'édition de
1949 de *Fils du peuple*, subsiste dans l'édition
de 1954. Mais elle a subi diverses
modifications : découpée, détourée,
recadrée, elle ne montre plus, autour de
Thorez, que trois personnes. Celui qui se
trouvait à gauche de Thorez, André Marty a
disparu.

Entre les deux versions de cette
photographie, il y a l'affaire Marty (1952).
André Marty, ancien mutin de la mer Noire
en 1917, puis député, membre du Comité
central en 1925, devient inspecteur général
des Brigades internationales au moment de
la guerre civile espagnole. Son rôle en
Espagne a été très controversé : surnommé
« le boucher d'Albacete » par les
anarchistes, dépeint par Hemingway dans
Pour qui sonne le glas comme un massacreur
borné, il semble avoir été surtout un agent
docile des services secrets staliniens. Après
la Libération, il est le n° 3 du parti
communiste français après Thorez et Duclos.
Ses relations avec le secrétaire général sont
mauvaises : après une tentative d'éviction
en 1947, la grande offensive éclate en 1952.
Toute l'affaire, dirigée à Paris par Duclos, est
sans doute organisée de Moscou par Thorez
qui à l'époque s'y fait soigner. Mis en
accusation avec Charles Tillon, ancien chef
des FTP, soumis à des procès inquisitoriaux,
exclu du bureau politique, du Comité
central, de sa propre cellule, Marty
s'effondre. On vole ses archives, on harcèle
sa femme pendant des heures, on la
séquestre et on la force à demander le
divorce. Et surtout on l'accuse
publiquement de n'être qu'un policier
infiltré. Marty fait appel à Staline qui, bien
sûr, ne répond pas. Pour l'achever, un
article d'Etienne Fajon paraît début janvier
1953 en première page de *l'Humanité* avec
pour titre « *Les liaisons policières de Marty* ».
« Je ne me suiciderai pas ! » avait écrit Marty
à Duclos au moment où l'affaire battait son
plein. Mais Marty « l'indomptable » était
déjà moralement et politiquement mort :
trois ans plus tard, il mourait après avoir
tenté d'assurer sa défense politique.

1. Maurice Thorez, Fils du peuple, *éd. de 1949.*
2. Fils du peuple, *éd. de 1954. La photographie*
disparaît dans les éditions ultérieures (1960,
1970).

■ VISITE A LA MINE

Dans la seconde édition de *Fils du peuple* (1949), quelques chapitres sont modifiés, quelques images sont ajoutées. En particulier celle d'une visite effectuée en 1946 par Thorez – alors vice-président du Conseil de la première présidence du général de Gaulle – dans les mines du Nord. Il pose entouré de plusieurs communistes, dont Auguste Lecœur, député du Pas-de-Calais, sous-secrétaire d'Etat au Charbon. Dans l'édition de 1960 de *Fils du peuple,* la même photographie figure, mais recadrée autour de Thorez et la partie droite qui contient deux personnages a disparu. Entre-temps, Auguste Lecœur, enfant chéri du parti, a été dénoncé comme « opportuniste », « autoritaire » et « dogmatique » et, en 1954, limogé. Il « voulait m'enterrer avant que je sois mort », aurait dit Thorez. On a donc effacé Lecœur en recentrant simplement la photo sur Thorez.

1. Maurice Thorez, Fils du peuple, *éd. de 1949.*
2. Fils du peuple, *éd. de 1954 et 1960.*

■ PRAGUE D'UNE ANNÉE SUR L'AUTRE

Sous le titre « Verdict de mort à Prague », l'hebdomadaire *Paris-Match* publiait, le 12 novembre 1949, deux photographies. Elles étaient censées avoir été prises au moment où un tribunal annonçait les sentences de mort contre six personnes accusées de complot. C'était l'époque où l'épuration battait son plein en Tchécoslovaquie, comme d'ailleurs dans les autres démocraties populaires (procès Rajk à Budapest, procès Kostov à Sofia). « A l'instant où le haut-parleur de la "justice populaire" annonce la condamnation à mort des accusés, les femmes s'agenouillent sur le pavé de Prague. Les miliciens chargés de contenir la foule, impressionnés aussi, plient le genou ». Voilà le texte de la légende du magazine. Cette photographie était en fait assez improbable : en 1949, la police était parfaitement tenue en mains et toute manifestation de rue impossible. Elle passa cependant très bien et elle fut reproduite par la plupart des grands magazines illustrés internationaux. Jusqu'au jour où le quotidien communiste *Ce soir*, montra que ce cliché ressemblait étrangement à un autre, pris au cours des obsèques du président tchèque Edouard Beneš, un an plus tôt (3 septembre 1948).
Après enquête, *Paris-Match* reconnut avoir été abusé. Mais le sens de la tromperie est ambigu. L'agence internationale News Photos avait réclamé à une agence tchécoslovaque des photos illustrant les effets des procès de 1949 et avait reçu ce cliché en échange. Après demande d'explications, la légende avait été confirmée. Intoxication des services tchèques ou acte de protestation d'un journaliste de l'agence ? « Le plus grave nous semble-t-il, commenta la direction de *Paris-Match*, est que personne, pas même *Ce Soir*, ne conteste que l'image d'une femme pleurant au premier rang d'une foule accablée soit l'image même de la Tchécoslovaquie. »

Paris-Match, *n° 27, 24 septembre 1949. Attaques dans* Ce soir, *22 octobre 1949. Réponse de* Paris-Match, *n° 34, 12 novembre 1949.*

■ HISTOIRES DE MATRAQUES

8 février 1962. Une grande manifestation de protestation contre les attentats de l'OAS a lieu à Paris à l'appel des partis de gauche. La répression policière est d'une terrible brutalité. À la bouche de métro Charonne, on relève neufs morts dont deux femmes et un jeune garçon, pour la plupart membres du parti communiste. Dans *Au rythme des jours*, recueil de documents et de souvenirs de Benoît Frachon, qui fut à la tête de la CGT de 1945 à 1975, d'abord comme secrétaire puis comme président, on trouve une photographie prise sans doute le soir du massacre. On voit près de la bouche de métro Charonne des chaussures et des débris divers. Mais cette photographie, pourtant déjà parlante en soi, ne devait pas suffire : on a ajouté une silhouette humaine allongée sur le trottoir et un policier casqué armé d'une matraque. La facture de ces deux retouches est cependant assez grossière et ne passe pas inaperçue.

Une manifestation au quartier latin en 1963. Des policiers bousculent des étudiants. Dans l'hebdomadaire communiste *La Terre*, une photo paraît mais elle est légèrement différente de celle qui avait été diffusée par une agence de presse : on a placé une matraque entre les mains d'un policier et, en bonne logique, on a effacé la matraque qui pendait au ceinturon d'un autre policier.

la réponse du pouvoir : la matraque

Au cours de la manifestation du 29 novembre à Paris, un étudiant cherche à se protéger la tête contre les matraquages de la police

1. *Benoît Frachon, Au rythme des jours, T2, Paris, 1973.*
2. *Photographie de l'Agence diffusion presse, 29 novembre 1963.*
3. *La Terre, n° 998, décembre 1963.*

La France attise le feu dans cette sale guerre...

Le massacre des indiens Mosquitos, farouchement anticastristes,
par les « barbudos » socialo-marxistes du Nicaragua,
au mois de décembre. Deux cents indiens
furent hachés par les grenades et les armes automatiques.
Ni les femmes ni les enfants ne furent épargnés.
Forte de 7 000 hommes à l'époque de Somoza,
l'armée du Nicaragua en compte aujourd'hui 80 000.
Le gouvernement de Managua veut y ajouter 200 000 miliciens.

A la fin du mois de décembre dernier, des unités de l'armée marxiste nicaraguayenne ont effectué, au mépris des lois internationales, une incursion sur le territoire du pays voisin, le Honduras. Objectif de ce raid : attaquer, de l'autre côté du rio Coco, des tribus d'indiens Mosquitos, citoyens honduriens vivant sur cette partie de la côte des caraïbes qui porte leur nom.

Esquisse d'un génocide, doublé d'un règlement de compte : ces indiens Mosquitos sont farouchement anticastristes, et ont toujours déjoué les tentatives d'infiltration des agitateurs venus de La Havane. Mais maintenant, les « barbudos » sont les « conseillers » et les instructeurs de l'armée socialo-marxiste du Nicaragua, dont ils sont en train de faire la force la plus redoutable d'Amérique centrale. « une super-puissance à l'échelle de l'Amérique centrale ».

C'est à ce pays que la France vient de vendre des vedettes, des hélicoptères, des roquettes qualifiées de « non réexportables ».

Le gouvernement français a également qualifié ces armes de « défensives » mais cet armement conviendra parfaitement à des opérations offensives contre des tribus indiennes pratiquement désarmées.

En pages suivantes :

**La dame de fer
de la diplomatie américaine
accuse les socialistes**

184

■ UN BRASIER POLITIQUE

En février 1982, le *Figaro magazine* publiait, sur une double page et en couleurs, l'impressionnante photographie d'un brasier où l'on distinguait des corps humains. Sous un titre choc, « La France attise le feu », qui faisait allusion aux accords politiques et économiques entre le gouvernement socialiste français et le gouvernement nicaraguayen, on pouvait lire la légende suivante : « Le massacre des Indiens Mosquitos, farouchement anti-castristes par les "barbudos" socialo-marxistes du Nicaragua, au mois de décembre. Deux cents Indiens furent hachés par les grenades et les armes automatiques. Ni les femmes ni les enfants ne furent épargnés. »
Le photographe qui avait pris ce cliché, Matthews Naythons, reconnut immédiatement une image prise par lui et dénonça le procédé : la photographie avait été recadrée et abusivement datée de deux ans plus tard. Il s'agissait en réalité d'une crémation de cadavres de combattants nicaraguayens des deux bords effectuée en 1978, pour des raisons d'hygiène, par les médecins et les infirmiers de la Croix-Rouge internationale. Sur le cliché original, on voyait les blouses blanches et le drapeau de la Croix-Rouge. En voulant dénoncer les terribles massacres des Indiens Miskitos (et non « Mosquitos »), les journalistes avaient commis un faux, au risque de faire douter de la réalité d'un drame pourtant effroyable. Le photographe a intenté au magazine un procès qu'il a gagné.

Remerciements

Je tiens à remercier ici tous ceux qui m'ont apporté leur témoignage, communiqué des documents ou des renseignements, aidé à traduire des textes ou mis sur la piste d'images oubliées : Martine Aflalo, Jean-Michel Arnold, Francisco Arrabal, Bernard Barrault, Karel Bartosek, Pierre Boncenne, Michel Broué, Pierre Broué, Bernard Cap, Geneviève Chemin, Jean Chesneaux, Claude Clément, Jean-Pierre Cliquet, Jean-Louis Cohen, Jean-Noël Darde, René Dazy, Marielle Delorme, Corinne Deloy, Anne Demazure, Francis Déron, Milovan Djilas, Jean-Marie Doublet, Sonia Drean, Patrice Fava, Carlos Franqui, Alain Gesgon, Pierre Golendorf, Réal Jantzen, Françoise Jaubert, Karel Kaplan, David King, Claude Klotz, Pierre Langlade, Renata Leznick, Silvia Longhi, Giulio Macchi, Pauline de Margerie, Chris Marker, Betty Mialet, Carlos Alberto Montaner, Christine Mordret, Jean Moreau, Louisette Neil, Paul Neuburg, Carla Nicolini, Michel Patenaude, Georges Peltier, Roger Pic, Robert Pledge, Philippe Pons, Romano Prada, François Puyplat, Ariel Remos, Nadia Ringart, Philippe Robrieux, Francis Rumpf, Myriam Sicouri-Ross, David Smiley, Anne-Lise Stern, Ross Terrill, Pavel Tigrid, Armando Valladares, Juan Vivès, Pierre Wiazemski.

Il faut y ajouter la revue *Index of censorship* (Londres) ; la revue *Svědectvi*, Paris ; les services de la production et des archives de l'Institut national de la communication audiovisuelle (INA) ; et les bibliothèques suivantes : Centre de Documentation juive contemporaine (Paris), Bibliothèque nationale (Paris et Versailles), Bibliothèque de Documentation internationale contemporaine (Nanterre), Library of Congress (Washington). Youri Pachkoff a assuré une grande partie des travaux photographiques et découvert plusieurs documents inédits.

Je tiens à remercier enfin tous ceux que je ne peux nommer ici : journalistes, bibliothécaires ou photographes qui, vivant dans des pays sans liberté, ont couru des risques considérables en m'accueillant et en me communiquant images ou documents cachés dans les archives.

Crédits photographiques

Tous les clichés de cet ouvrage proviennent des collections de l'auteur et ont été photographiés par lui, à l'exception des suivants :

BDIC, Nanterre : 71 (1 et 2) – 94 (1 et 2) – 95 (2, 3 et 4) – 158 (1) – 171 (2) – 172 (1 et 2) – 173.
Bibliothèque Nationale, Paris : 16-18 (1 et 2) – 30 (2) – 56 (1) – 57 (6) – 63 (3 et 4) – 72 (1) – 88 (2) – 149 (1 et 2) – 170 (1 et 2).
Bibliothèque nationale, Versailles : 78 (6) – 160 (2) – 161.
Bundesarchiv, Coblence : 75.
Jean-Louis Cohen, Paris : 79 (2) – 80 (1).
René Dazy, Paris : 53 (1) – 93 (1).
Direction des statuts de l'information historique, ministère de la Guerre, Paris : 66 (1) – 76 (1 et 2).
Euprapress, Munich : 128 – 129 – 130 – 131 – 132 – 134 – 136.
Patrice Fava, Paris : 100 (2) – 104 (2) – 115 (1 et 2) – 116 (1 et 2) – 119 (3).
Agence Gamma, Paris : 174 (2).
Zeitgeschichtliches Bildarchiv Heinrich R. Hoffmann : 65 (1).
Imperial War Museum, Londres : 73 (1) – 177 (1 et 2).
Index of Censorship, Londres : 127 (3).
Institut Luce, Rome : 54 – 55 (2).
Agence Keystone, Paris : 93 (4).
Archives David King, Londres : 24 – 26 (1) – 28 (1) – 34 – 37 (4) – 83 (1 et 2) – 146.
Editori Laterza, Milan : 8.
Roger Pic, Paris : 103.
Archives Ringart, Palaiseau : 62 (1) – 66 (4).
Éditions Philippe Sers, Paris : 49 (1).
Éditions du Seuil, Paris : 29 (2).
Collection Edgar Snow, New York : 99 (2) – 101 (1) – 104.
Collection Helen Foster-Snow, Magnum, New York : 109 (1) – 118.
Time Life : 176.
Suddeutscher Verlag, Munich : 70 (1 et 2) – 171 (1).
Roger Viollet, Paris : 52 – 79 (1).
Juan Vivès, Marseille : 164.
Westview Press Inc : 143.

Bibliographie générale

Histoire et philosophie de la photographie

Beaumont Newhall, *L'histoire de la photographie*, Paris, 1967. Helmut Gernsheim, *The history of photography*, Londres 1969. Raymond Lécuyer, *Histoire de la photographie*, Paris, 1945. Gisèle Freund, *Photographie et société*, Paris, 1974.
Walter Benjamin, « L'œuvre d'art à l'ère de sa reproductibilité technique », et « Petite histoire de la photographie », dans *Poésie et révolution*, Paris, 1971. Roland Barthes, « Rhétorique de l'image » repris dans *L'aventure sémiologique*, Paris, 1985 ; *La chambre claire*, Paris, 1980 ; *L'obvie et l'obtus*, Paris, 1982. Susan Sontag, *La photographie*, Paris, 1979. Albert Plécy, *La photo, art et langage* ; Verviers, 1971. Volker Kahmen, *La photographie est-elle un art ?*, Paris 1974. Pierre Bourdieu et coll., *Un art moyen, essai sur les usages sociaux de la photographie*, Paris, 1965. Enrico Fulchignoni, *La civilisation de l'image*, Paris, 1975. John Berger, *Voir le voir*, Paris, 1976. Guy Gauthier, *Vingt leçons sur l'image et le sens*, Paris, 1982. Erich Gombrich, *L'art et l'illusion*, Paris, 1972. Pierre Fresnault-Deruelle, *L'image manipulée*, Paris, 1983.

La photo de presse

Tom Hopkinson, *Picture post 1938-1950*, Londres, 1970. *Instants d'années, 25 ans de World Press photo*, Paris, 1981. Harold Evans, *Front page history*, Londres 1984 ; *Picture on a page*, Londres, 1974.. Associated Press, *Instant it happened*, New York, 1972. Ken Baynes, *Scoop, scandal and strife*, Londres, 1971. John Faber, *Great moments in news photography*, Londres 1960. Arthur Rothstein, *Photojournalism*, New York, 1965. Gerald D. Hurley et Angus Mc Dougall, *Visual impact in print*, Chicago, 1971. Wilson Hicks, *Words and pictures*, New York, 1952. *Photo-journalisme*, présentation Pierre de Fenoyl, Paris, 1977. Tim N. Gidal, *Modern photojournalism, origin and evolution, 1910-1933*, New York, 1972. *Life, the first decade, 1936-1945*, Boston, 1979.

La propagande et ses images

Jean-Marie Domenach, *La propagande politique*, Paris, 1950. Jacques Ellul, *Histoire de la propagande*, Paris, 1967 ; *Propagandes*, Paris, 1962. Monica Charlot, *La persuasion politique*, Paris, 1970. Anthony Rhodes, *Histoire mondiale de la propagande de 1933 à 1945*, Bruxelles, 1980. *Guerres et propagande ou comment armer les esprits*, catalogue exposition, Bruxelles, 1983. *Revue d'histoire de la Seconde Guerre mondiale*, « Propagande, presse, radio, film », n° 101, janvier 1976. Stanley Baker, *Visual persuasion. The effect of pictures on the subconscious*, New-York, 1961. Vance Packard, *La persuasion clandestine*, Paris, 1975. Jean-Paul Gourévitch, *La propagande dans tous ses états*, Paris, 1981 ; *La politique et ses images*, Paris, 1986.
Alain Gesgon, *Sur les murs de France*, Paris, 1979. Stephane Marchetti, *Affiches 1939-1945, Images d'une certaine France*, Lausanne, 1982. Gary Yanker, *Prop art*, Paris, 1972. Max Gallo, *L'affiche, miroir de l'histoire, miroir de la vie*, Paris, 1973. Zbynek Zeman, *Selling the war, art and propaganda in world war II*, Londres, 1978. *L'imagerie politique*, catalogue d'exposition du Centre Pompidou, 1977. Jean-Paul Gourévitch, *L'imagerie politique*, Paris, 1980. *Propaganda und gegenpropaganda im film 1933-1945*, catalogue cycle de projections ; Ostereischisches film museum, Vienne, 1972. Leif Furhammar et Folke Isaksson, *Politics and film*, Stockolm, 1968, Londres, 1971.
« Cinéma et propagande », *Revue belge du cinéma*, n° 8, été 1984. Marc Ferro, *Cinéma et histoire*, Paris, 1977 ; *Analyse de films, analyse de sociétés*, Paris, 1975. R. Taylor, *Film propaganda : soviet Russia and nazi Germany*, Londres, 1979. Jean-Pierre Jeancolas et Daniel-Jean Jay, « Cinéma d'un monde en guerre », *La documentation française*, Paris, n° 6 024, août 1976.

Intoxication, désinformation, falsification de l'histoire

A. Cave-Brown, *La guerre secrète*, Paris. Léon Poliakov, *De Moscou à Beyrouth, essai sur la désinformation*, Paris, 1983. Sefton Delmer, *Opération Radio noire*, Paris, 1965. Pierre Nord, *L'intoxication*, Lausanne, 1971. Ladislas Bittman, *The deception game*, New-York, 1972. Anthony Buzek, *How the communist press works*, Londres, 1964. Paul

Lendvaï, *Les fonctionnaires de la vérité*, Paris, 1980. *Soviet Covert action (the forgery offensive)*, auditions devant le Congrès américain, 96e Congrès, seconde session, 6 et 19 février 1980, Washington. John Barron, *KGB*, Paris, 1974 ; *Enquête sur le KGB*, Paris, 1984. Brian Freemantle, *KGB*, Londres, 1983. Thierry Wolton, *Le KGB en France*, Paris, 1985. *Les complots de la CIA*, Paris, 1976. Brian Freemantle, *La CIA, les secrets de l'honorable compagnie*, Paris, 1986. Philip Agee, *Journal d'un agent secret, dix ans dans la CIA*, Paris, 1976. Ernest W. Lefever et Roy Godson, *The CIA and the american ethic : an unfinished debate*, Washington, 1979. Richard H. Shultz, Roy Godson, *Dezinformatsia, mesures actives de la stratégie sociétale*, Paris, 1984. *La désinformation, arme de guerre*, textes présentés par Vladimir Volkoff, Paris, 1986. Jean-François Revel, *Comment les démocraties finissent*, Paris, 1983. Normahn Cohn, *L'histoire d'un mythe*, Paris, 1967. Léon Poliakov, *La causalité diabolique*, 2 vol., Paris, 1981 et 1985. Christian Jelen, *L'aveuglement*, Paris, 1984. Marc Ferro, *L'Occident devant la révolution soviétique*, Bruxelles, 1980. Jean-Noël Darde, *Le ministère de la vérité*, Paris, 1984. Marc Ferro, *Comment on raconte l'histoire aux enfants à travers le monde entier*, Paris, 1981. *History in communist China*, édité par Albert Fenerwerker, Cambridge (USA), 1968. *Rewriting russian history*, édité par C.E. Black, New York, 1956. *Contemporary history in the soviet mirror*, édité par John Keep, Londres, 1964. Publications : *Le genre humain* (en particulier nos sur « La rumeur », no 5, 1982 ; « La vérité », no 7-8, 1983 ; « 1984 ? », no 9, 1984). *Index of censorship* (en particulier vol. 15, no 2, février 1986 « False history ? »). *L'Alternative* et *La Nouvelle alternative* (en particulier no 1, avril 1986, « Les historiens dans l'histoire » par Karel Bartosek).

Le photomontage

Dawn Ades, *Photomontage*, Paris, 1976. Irène Charlotte Lusk, *Montagen ins Blaue : Laszlo Moholy-Nagy, Fotomontagen und collagen 1922-1943*, Berlin, 1980. Eckhard Siefmann, *Montage : John Heartfield*, Berlin, 1977. John Heartfield, *Photomontages antinazis*, préface de Denis Roche, Paris, 1978. Reiner Diederich et Richard Grübling,

Unter die shere mit den Geiern !, *Politische fotomontage in der Bundesrepublik und West Berlin*, Berlin, 1977. Claude Leclanche-Boulé, *Typographies et photomontages constructivistes en URSS*, Paris, 1984. Giuliano Patti, Licinio Sacconi, Giovanni Zilani, *Fotomontaggio*, Milan, 1979.

Falsification des photographies

« Usines de faux », *Témoignages de notre temps*, no 8, août 1934. « Images secrètes de la guerre », *Témoignages de notre temps*, no 1, mai 1933. « Images secrètes allemandes de la guerre », *Témoignages de notre temps*, no 3, octobre 1933. « Le bourrage de crânes », *Crapouillot*, juillet 1937. Donald E. English, *Political uses of photography in the Third French Republic 1871-1914*, Ann Arbor, 1984. *Le reportage photographique*, chapitre « Les techniques de persuasion », Life la photographie, Paris, 1982. Guy Durandin, *Les mensonges en propagande et en publicité*, Paris, 1982. « Photographic documentation on the bacteriological warfare waged by american forces in China and Korea », pochette de photos, International Union of Students, 1952. « Les photos bactériologiques sont des faux, voici pourquoi », no spécial *Défendre la vérité*, 19 avril 1952. « Photos interdites », *Objectif 50*, 1945. « Bildfälschungen-Fotomontagen », *Der Journalist*, décembre 1957. Yves Bourde, « Les faussaires de la photo », *Photo*, no 34, juillet 1970. Rainer Fabian, *Die Fotografie als dokument und fälschung*, Munich, 1976. Christopher Hitchens, « Mutilating Russia's photographic history », *New Statesman*, 1er septembre 1978. Claudie et Jacques Broyelle, *Le bonheur des pierres*, Paris, 1978. « The acceptable faces of Russia – and the real ones », *The Sunday Times*, 10 mars 1981. Alain Jaubert, « Le pouvoir contre les images », *L'Echo des Savanes*, no 15, octobre 1983 ; « La photo a toujours raison », *L'Ane*, no 6, automne 1982. Claude Roy, « Eloge de la retouche », *Le Nouvel Observateur*, 25 septembre 1982. Andreï Siniavsky « Meeting in Naples » et « Artistes at the service of the revolution », *A-Ya*, no 5, 1983. Isaac Deutscher et David King, *The great purges*, Oxford, 1984. « Falsfied photographs », *Index of censorship*, vol. 14, no 6, décembre 1985. Et *Svědectví*, no 77, 1er trimestre 1986.

Bibliographie par chapitres

Les ouvrages déjà cités dans les encadrés ne sont généralement pas repris ici.

La vie légendaire de Lénine

Edward Hallet Carr, *The bolshevik revolution*, 3 vol., Londres, 1950-1953. Pierre Broué, *Le parti bolchevique*, Paris, 1963. Gérard Walter, *Lénine*, Paris, 1950. Léon Trotsky, *Ma vie*, Paris, 1953. Louis Fischer, *Lénine*, Paris, 1966. Henri Guilbeaux, *Le portrait authentique de Lénine*, Paris, 1924. Pierre Broué, David King, *Trotsky*, Paris, 1979. *Lénine*, Coll. « Génies et réalités », Paris, 1972. Jean Bruhat, *Lénine*, Paris, 1960. Maxime Gorki, *Pensées intempestives*, Lausanne, 1975 et Paris, 1977. *Chagi sovietov, 1917-1936*, Moscou, 1977 ; *1937-1957*, Moscou, 1981. *Sovjetische fotografen, 1917-1940*, Berlin, 1980. *Pionniers de la photographie russe soviétique*, Paris, 1983. *Dix ans de photographie soviétique*, Moscou, 1928. *Exposition d'œuvres de maîtres de l'art soviétique*, Moscou, 1935. *Première exposition d'art photographique d'URSS*, Moscou, 1937. Sergueï Morozov, *Sovietskaïa koudochestvennia fotografia 1917-1957*, Moscou, 1958 ; *Tvorgeskaïa fotografia*, Moscou, 1985. Publications consultées : *L'Illustration* (1905-1924), *Pravda*, *Ogoniok*, *Sovietskoïe foto*, *Proletarskoïe foto*, *Sovietskii fotograficheskii almanach*, *Fotograf*, *Novy lef*. Films : *Lénine par Lénine*, par Jacques Aujubault, Marc Ferro et Pierre Samson, 1970 (INA).

Scènes de la révolution

S.M. Eisenstein, *Oeuvres*, 7 vol., Paris, 1975-1985 ; *Octobre*, découpage intégral, Paris, 1971. *Le cinéma russe et soviétique*, sous la direction de Jean-Loup Passek, Centre Pompidou, Paris, 1981. Jay Leda, *Kino, Histoire du cinéma russe et soviétique*, Lausanne, 1976. Luda et Jean Schnitzer, *Histoire du cinéma soviétique*, Paris, 1979. L'assaut : le spectacle a été décrit dans *Vestnik Teatra*, no 75, 30 novembre 1920 et par Evreïnov lui-même dans *Krasnaïa milizioner* (le milicien rouge, no 14, 1920) puis dans *Le théâtre en Russie* soviétique (Paris, 1946). On en rend compte encore dans *Istoria sovietskojo teatra* (histoire du théâtre soviétique), Leningrad, 1933. On trouve d'autres photographies du spectacle et les dessins préparatoires d'Annenkov dans *Agitaziono-massovoïe isskoustvo oformlenie prasdestv*, Moscou, 1984. Bien entendu, la photographie n'apparaît pas dans la première édition du livre de John Reed (New York, 1919).

Mussolini, chef des images

L'Italie fasciste, Instituto Luce, Rome, 1932. *Exposition de la révolution fasciste*, Rome, 1933. *Enciclopedia italiana*. Giorgi Pini et D. Susmel, *Mussolini, l'uomo e l'opera*, 4 vol., Florence, 1953-1958. Renzo de Felice, *Mussolini*, 3 vol. Turin, 1965-1967. Renzo de Felice, Luigi Goglia, *Storia fotografica del fascismo*, Milan 1981 ; *Mussolini, il mito*, Milan, 1983. Umberto Silva, *Ideologia e arte del fascimo*, Milan, 1973. Massimo Cardillo, *Il Duce in moviola*, Bari, 1983. André Brissaud, *Mussolini*, 3 vol., Paris, 1983. Dino Biondi, *La fabrica del Duce*, Florence, 1967. Max Gallo, *L'Italie de Mussolini*, Paris, 1964. Pascal Gallo, *Mussolini en images*, Bruxelles, 1978. Pierre Milza, *Le fascisme*, Paris, 1986. *Éléments pour une analyse du fascisme*, séminaire de Maria-Antonietta Macciocchi, Paris, 1976. *Le cinéma italien, 1905-1945*, sous la direction d'Aldo Bernardini et Jean A. Gili, Centre Pompidou, Paris, 1986. Revues et journaux consultés : *L'Europeo, Epoca, Storia illustrata, Il lavoro fascista, La Stampa, La difesa della Razza. Revue d'histoire de la Deuxième Guerre mondiale*, n° 26, avril 1957, « L'Italie mussolinienne ». Films : *Fascista*, de Nico Naldini (1974). *Le fascisme en Italie* (Cinémathèque de l'enseignement public). *Histoire du fascisme* (Musée pédagogique). *La montée du fascisme*, de G. Bruley (1956).

Le Troisième Reich et ses images

Heinrich Hoffmann, *Hitler wie ihn keiner kennt*, Munich, 1932, 1934 ; *Jugen und Hitler*, 1935 ; *Hitler in Seiner Heimat*, 1938 ; *Mit Hitler im western*, 1940 ; *Mussolini erlebdt Deutschland*, 1937 ; *Hitler was my friend*, Londres, 1955. Zbynek Zeman, *Nazi propaganda*, Oxford, 1973. *Nazi propaganda*, édité par David Welch, Londres, 1983. Joachim C. Fest, *Hitler*, 2 vol., Paris, 1973. John Toland, *Hitler*, 2 vol., Paris, 1978. Curt

Riess, *Joseph Goebbels, A biography*, Londres, 1949. Albert Speer, *Au cœur du troisième Reich*, Paris, 1971. Werner Maser, *Hitler inédit*, Paris, 1975. Alfred Grosser, *10 leçons sur le nazisme*, Paris, 1976 ; *Hitler, la presse et la naissance d'une dictature*, Paris, 1972 et 1986. Berthold Hinz, *Art in the Third Reich*, New York, 1979. Adelin Guyot et Patrick Restellini, *L'art nazi*, Bruxelles, 1983. Francis Courtade et Pierre Cadars, *Histoire du cinéma nazi*, Paris, 1972. Siegfried Kracauer, *De Caligari à Hitler*, Lausanne, 1973. Veit Harlan, *Le cinéma selon Goebbels*, Paris, 1975.

Icônes du culte stalinien

Boris Souvarine, *Staline*, Paris, 1935, rééd. 1977. Robert C. Tucker, *Staline révolutionnaire*, Paris, 1975. Lily Marcou, *Les staline*, Paris, 1979. Emmanuel d'Astier de la Vigerie, *Sur Staline*, Lausanne, 1967. Georges Bortoli, *Mort de Staline*, Paris, 1973. Hélène Carrère d'Encausse, *Staline, l'ordre par la terreur*, Paris, 1979. Jean-Jacques Marie, *Staline*, Paris 1967. Boris Bajanov, *Bajanov révèle Staline*, Paris, 1977. Isaac Deutscher, *Stalin, a political biography*, Londres, 1967. Isaac Deutscher et David King, *The great purges*, Oxford, 1984. Branko Lazitch, *Le rapport Khrouchtchev et son histoire*, Paris, 1976. Léon Trotsky, *Staline*, 1948. Pierre et Irène Sorlin, *Lénine, Trotsky, Staline, 1921-1927*, Paris, 1961. A.:B. Ulam, *Staline, l'homme et son temps*, 2 vol., Paris, 1977. *Les procès de Moscou*, présentés par Pierre Broué, Paris, 1964. *Au pays des Soviets*, présenté par Fred Kupferman, Paris, 1979. Alexandre Soljenitsyne, *L'archipel du goulag*, 3 vol., Paris, 1974-1976. Branko Lazitch et Milorad Drachkovitch, *Biographical Dictionary of the Comintern*, Stanford, 1973. *Paris-Moscou*, catalogue de l'exposition du Centre Pompidou, Paris, 1979. « Le cinéma stalinien », *Cinématographe*, n° 55, 1982. « La guerre froide », *La documentation photographique*, n° 6 045, février, 1980. « L'URSS depuis 1945 », *La documentation photographique*, n° 6 076, avril 1985. André Bazin, « Le mythe de Staline dans le cinéma soviétique » repris dans le recueil *Le cinéma français de la libération à la nouvelle vague*, Paris, 1983. Films : *The red Tsar*, série de Paul Neuburg (TWT, 1978). *Staline*, de Jean Aurel (1985). Publications consultées : *L'URSS en*

construction, *L'Union soviétique, Pravda, Ogoniok, Izvestia*.

La saga maoïste

Edgar Snow, *Living China*, Londres, 1938 ; *Red star over China*, Londres, 1937, New York, 1971. Nym Wales, *Inside red China*, New York, 1939 ; *Red dust : autobiographies of chinese communists*, Stanford, 1952. Harold R. Isaacs, *La tragédie de la révolution chinoise*, Paris, 1967. Stuart R. Schramm, *Mao Tsé-tung*, Londres, 1966 et Paris, 1972. Agnes Smedley, *Battle hymn for China*, New York, 1943 ; *The great road : the life and times of Chu teh*, Londres, 1958 et Paris, 1969. Jacques Guillermaz, *Histoire du parti communiste chinois*, 2 vol., Paris, 1968 et 1975 ; *Le parti communiste chinois au pouvoir 1949-1972*, Paris, 1972. Simon Leys, *Les habits neufs du président Mao*, Paris, 1971 ; *Ombres chinoises*, Paris, 1974 ; *Images brisées*, Paris, 1976. Claude Hudelot, *La longue marche*, Paris, 1971. Roxane Witke, *Comrade Chiang Ch'ing*, Boston, 1977. Ross Terril, *Madame Mao*, Paris, 1984. *Pékin, un procès peut en cacher un autre*, Paris, 1982. Patrice et Chantal Fava, Jean Leclerc du Sablon, *Chine*, Paris, 1977. Emile Guikovaty, *Mao, réalités d'une légende*, Paris, 1977. Loïs Wheeler Snow, *Edgar Snow's China*, Londres, 1981 (hommage à Snow mais la plupart de ses propres photos proviennent de Chine et sont retouchées !). *Le cinéma chinois*, sous la direction de Marie-Claire Quiquemelle et Jean-Loup Passek, Paris, 1985. Régis Bergeron, *Le cinéma chinois*, Paris, 1983. Donald W. Klein, Anne B. Clark, *Biographic dictionary of chinese communism 1921-1965*, Cambridge (USA), 1971. Publications consultées : *La Chine, Littérature chinoise, Pékin information, La Chine en construction, La photographie chinoise*.

Du « Coup » au « Printemps » de Prague

André Fontaine, *Histoire de la guerre froide*, Paris, 1965. Hubert Ripka, *Le coup de Prague*, Paris, 1949. François Fejtö, *Le coup de Prague 1948*, Paris, 1976 ; *Histoire des démocraties populaires*, Paris, 1969. Karel Kaplan, *Procès politiques à Prague*, Bruxelles, 1980. Jean-Pierre Rageau, *Prague 48, Le rideau de fer s'est abattu*, Bruxelles, 1981. Artur

London, *L'aveu*, Paris, 1969. Milan Kundera, *Le livre du rire et de l'oubli*, Paris, 1979. Lili Marcou, *Le Kominform*, Paris, 1977. Pavel Tigrid, « The Prague coup of 1948, the elegant takeover », in *The anatomy of communist takeovers*, Munich, 1971. Karel Kaplan, *Der Kurze Marsch, Kommunistiche Machtübernahme in des Tchechoslovakia 1945-1948*, Munich, 1981 ; *Dans les archives du Comité Central*, Paris, 1978. Edward Taborsky, *Communism in Czechoslovakia 1948-1960*, Princeton, 1961. H. Kuhn, O. Böss, *Biographisches handbuch der Tchechoslowakei*, Munich, 1961. Journaux et magazines : *Reporter* (1968-1969). *Literarni listy* (1968-1969). *Student* (1968). *Photo*, Paris, n° 34, juillet 1970 (Yves Bourde, « Les faussaires de la photo »). *Index of Censorship*, vol. 14, n° 6, décembre 1985 (« Falsified photographs »). *Svědectví*, n° 77, 1986.

Vies et batailles d'Asie

Bernard Fall, *Diên Biên Phu, un coin d'enfer*, Paris, 1968. René Bail, *Indochine 1953-1954, les combats de l'impossible*, Paris, 1985. *Roman Karmen V Vospominaniak sovremiennikov*, Moscou, 1983. Roman Karmen, *Vietnam zrashetsia : zanik sovietskovo kinooperatora*, Moscou, 1958. Jules Roy, *La bataille de Diên Biên Phu*, Paris, 1963. *Diên Biên Phu*, émission de 32 minutes de la série « Cinq colonnes à la une », commentaires du colonel Bigeard et de Pierre Schoendoerffer (1964, INA, n° 645 839).
Sur le financement de la propagande Nord-coréenne, voir *Le Monde* 19 octobre 1976 puis 20 octobre ; et *Libération*, 16 novembre 1976. Le culte de la personnalité et la publicité payante sont déjà évoqués dans un article de Philip Oakes « The canonisation of Comrade Kim » (*The Sunday Times*, 30 septembre 1973).
Robert W. Chandler, *War of ideas : the US propaganda campaign in Vietnam*, Boulder (Colorado), 1981.

Révolutions balkaniques

Emile Guikovaty, *Tito*, Paris, 1979. Vladimir Dedijer, *Dnevnik*, Belgrade, 1951 ; *Tito parle*, Paris, 1953. Milovan Djilas, *Tito mon ami, mon ennemi*, Paris, 1980. Thomas Schreiber, *La Yougoslavie de Tito*, Paris, 1977. Branko Lazitch, *Tito et la révolution yougoslave*, Paris,

1957. Phyllis Auty, *Tito*, Paris, 1972. David Smiley, *Albanian assignment*, Londres, 1984. Shefqet Peci, *Kujtime dhe Dokumenta nga lufta nacional-çlirimtare*, Tirana, 1959. Hulesi Topollaj, *Partizanët e gramozit*, Tirana, 1968. Enver Hodja, *Avec Staline, souvenirs*, Tirana, 1984 ; *Les titistes*, Tirana, 1982. Publications consultées : *Shqiperia e re, L'Albanie nouvelle* ; *Ylli*.

Les trompe-l'œil de l'histoire cubaine

Luis Conte Aguero, *Fidel Castro, vida y obra*, La Havane, 1959. Fidel Castro, *La historia me absolvera*, La Havane, éditions de 1960, 1961, 1964, 1973, 1975. Ernesto « Che » Guevara, *La guerra de guerrillas*, La Havane, 1960 ; *Tres combates*, La Havane, 1965 ; *Pasajes de nuestra guerra revolucionnaria*, La Havane, 1963 ; *El Diario del Che en Bolivia*, Paris, 1968 ; *Le socialisme et l'homme à Cuba*, La Havane, 1967. Carlos Franqui, *Ritrato de familia con Fidel*, Barcelone, 1981. Maurice Halperin, *The rise and decline of Fidel Castro*, Berkeley, 1972. K.S. Karol, *Les guerrilleros au pouvoir*, Paris, 1970. Robert Merle, *Moncada, le premier combat de Fidel Castro*, Paris, 1965. Herbert Matthews, *Revolution in Cuba*, New York, 1975. Mario Llerena, *The unsuspected revolution, the birth and rise of Castroism*, Ithaca, 1978. Theodor Draper, *La révolution de Castro*, Paris, 1963. Carlos Alberto Montaner, *Informe secreto sobre la revolución cubana*, Madrid, 1976. Juan Vives, *Les maîtres de Cuba*, Paris, 1981. Armando Valladares, *Mémoires de prison*, Paris, 1986. Francisco Arrabal, *Lettre à Fidel Castro : an « 1984 »*, Paris, 1983.
Publications consultées : *Bohemia* de 1954 à 1968 ; *Hoy, Revolución, Cuba* (devenu *Cuba internacional*) ; *Granma*, sélection hebdomadaire de *Granma* en français ; *Casa de las Americas*. *Paris-Match*, 1959-1968. *Life*, 1959-1964. Dossiers : *Tribunal Cuba*, Internationale de la Résistance, Paris, avril 1986.

La tradition soviétique

Nikita Khrouchtchev, *Souvenirs*, Paris, 1971. Wolfgang Leonhard, *N.S. Khrouchtchev, ascension et chute d'un homme d'état soviétique*, Lausanne, 1965. Pierre Daix, *L'avènement de la nomenklatura, la chute de Khrouchtchev*, Bruxelles, 1982. Hélène Carrère d'Encausse, *Le pouvoir confisqué*, Paris,

1980. Michel Heller et Alexandre Nekritch, *L'utopie au pouvoir*, Paris, 1982.
James E. Oberg, *Red star in orbit*, New-York, 1981. Jaurès Medvedev, *Soviet Science*, New-York, 1978. Leonid Vladimirov, *Russian space bluff*, Londres, 1971.
Publications consultées. Soviétiques : *Pravda, Izvestia, Ogoniok, Etudes soviétiques*. Autres : *Aviation week and space technology*. *Spaceflight, Air et Cosmos, La documentation photographique* (n° 6 045, février 1980, « La guerre froide », n° 6 076, avril 1985, « L'URSS depuis 1945 »), *Problèmes politiques et sociaux* (La documentation française), *Est et Ouest*.

Quand les méthodes s'exportent

Grierson on documentary, ed. par F. Hardy, Londres, 1946. F. Hardy, *John Grierson, a documentary biography*, Londres, 1979.
Creative Camera, n° 247-248 juillet-août 1985, « Information and propaganda ». Philippe Robrieux, *Maurice Thorez, vie secrète et vie publique*, Paris, 1975 ; *Histoire intérieure du parti communiste français*, 4 vol, Paris, 1980-1984. André Marty, *L'affaire Marty*, Paris, 1955. Charles Tillon, *Un « procès de Moscou » à Paris*, Paris, 1971. Auguste Lecœur, *L'autocritique attendue*, 1965 ; *Le PCF continuité dans le changement*, Paris, 1977.
Liaisons, n° 23, 16 décembre 1963. Sur l'image d'actualité on pourra lire les entretiens réalisés par *Presse actualité* avec Gérard Blanchard (n° 101, mai 1975), Albert Plécy, Paul Almassy, Jules Coritti et Anne-Marie Thibault-Laulan (n° 113, novembre 1976).
Publications : *Presse actualité, Creative Camera, News Photographer, National Press photographer*.

Imprimé en France par Pollina, 85400 Luçon - N° 8799 — N° d'Éditeur : 1085
Dépôt légal : Octobre 1986